CHOISIR, ÉDUQUER, COMPRENDRE ET SOIGNER SON

CHIEN

CHOISIR, ÉDUQUER, COMPRENDRE ET SOIGNER SON
CHIEN

Dr Bruce Fogle
Patricia Holden White

HACHETTE
Pratique

Pour Macy

Édition originale publiée au Royaume-Uni sous le titre *New Dog: Choosing Wisely and Ensuring a Happy After* par Mitchell Beazley Octopus Publishing Group Ltd
2-4 Heron Quays, London, E14 4JP
Hachette Livre UK

© Octopus Publishing Group Ltd 2008
Texte © Bruce Fogle 2008

Édition française
© Hachette Livre (Hachette Pratique), 2009
Traduction et adaptation : Anne-Marie Naboudet Martin
Secrétariat d'édition : Anne Vallet
Relecture : Élodie Ther
Couverture : Salah Kherbouche
Composition : Facompo

L'éditeur remercie Clotilde Alaguillaume pour son aide précieuse.

Produit complet : Toppan Printing Co. (Hong Kong)

ISBN : 978-2-01-237460-7
Dépôt légal : février 2009
23-32-7460-01-1

Sommaire

Introduction

Alors c'est décidé, vous voulez un chien ? Avez-vous bien conscience de ce qui vous attend, du temps qu'il vous faudra pour vous occuper de votre petit compagnon ? Peut-être avez-vous déjà franchi le pas, et à le voir chambouler votre vie, vous vous demandez si vous n'allez pas devenir fou.

J'ai déjà écrit un certain nombre de livres sur les chiens – leur histoire, leur diversité, leur santé et leur alimentation ; la façon dont ils pensent ; la raison pour laquelle il est indispensable de comprendre comment le cerveau d'un chien fonctionne lorsqu'on veut l'éduquer. Ces ouvrages ont été publiés un peu partout dans le monde, ce qui prouve que les conseils que j'y donne peuvent être utiles. Néanmoins, en envoyant des chapitres à des clients par Internet avant même d'avoir adressé à mon éditeur les premières lignes de mon nouveau livre, j'ai réalisé qu'il fallait que ce soit un ouvrage pratique, destiné à ceux qui accueillent non pas un chien, mais un chiot, ce qui n'est pas du tout pareil.

Ici, il est autant question des maîtres que des chiens. J'ai fait sept ans d'études pour devenir vétérinaire, mais ce n'est que le jour où j'ai démarré en tant que clinicien que j'ai véritablement compris que la santé et le comportement du chien dépendaient étroitement de son maître. Un maître doit impérativement consacrer du temps à son compagnon pour obtenir son affection. Êtes-vous certain qu'il y a de la place pour un chien dans votre vie telle qu'elle est aujourd'hui ou telle qu'elle sera demain ? Si c'est le cas, avez-vous réfléchi au type de chien qui vous conviendra, à vous et votre famille, à votre environnement ? N'occultez pas cette question et préparez-vous au jour où vous accueillerez un chiot ou un chien abandonné : tout doit être prêt pour lui.

Je ne surprendrai personne en disant que j'adore les chiens. Je suis vétérinaire clinicien depuis bientôt quarante ans. J'ai une famille soudée qui m'apporte beaucoup de chaleur et de bonheur, mais je dois admettre que les chiens m'offrent d'autres sources de satisfaction. Il y a quelque chose de profondément rassurant dans le caractère prévisible du chien et dans sa fidélité. Le chien est honnête dans ses émotions – quelles qu'elles soient. On peut être sûr de son intégrité et croire ce que ses yeux si expressifs nous disent. Je les aime tous sans exception : pour moi, un chien, même s'il est vieux, qu'il sent mauvais, qu'il est tout ridé et qu'il a la patte raide, conserve une certaine dignité naturelle, voire une certaine beauté.

Au cours de ma carrière, j'ai vu évoluer la relation entre le chien et son maître. Elle est devenue plus intense – savoir à quoi tient notre dépendance vis-à-vis d'eux est un autre débat –, mais n'allez pas croire que l'amitié qui nous lie à eux est le produit d'une société occidentale baignant dans l'opulence. Il est dans la nature humaine de fondre devant un chiot. En 1828, un major de l'armée britannique en visite sur l'île de Stradbroke au large du Queensland, en Australie, découvrit un chiot dingo. Séduit par sa couleur originale, il voulut l'acheter à son maître, un aborigène. Le major Locklyer raconte l'histoire dans son journal : « J'avais très envie de ramener l'un de ces chiens sauvages noirs que l'on trouve sur l'île, un chiot magnifique que l'un des hommes tenait dans ses bras. Je lui proposai une petite hache en échange ; ses compagnons le pressaient d'accepter, ce qu'il allait faire quand il regarda son chien qui se mit à lui lécher le visage. Alors, il changea d'avis et le garda. »

Qui ne craquerait pas devant un chien qui lui lèche le visage ? Beaucoup de gens laissent leur chien adulte continuer à manifester ce comportement, habituel chez le chiot. Macy, ma chienne Golden Retriever, ne le faisait pas, mais elle nous a comblés autrement. À la maison, sa tranquillité avait quelque chose de rassurant. Dehors, c'est elle qui m'ouvrait les portes de la nature, fouinant partout, à l'affût de tout et capable de rapporter n'importe quoi. Je parle au passé car au moment où j'achevais ce livre, elle nous a quittés prématurément. Au début, j'étais tellement anéanti par sa mort – elle n'avait que six ans et son cancer a été foudroyant – que j'ai gardé nos vieilles habitudes. Je continuais à me lever tôt pour aller me promener trois quarts d'heure dans le parc. Cependant, j'ai vite pris mon téléphone pour contacter les clubs de Golden Retriever et essayer de trouver un chien à adopter. Le téléphone arabe a ensuite fonctionné et des éleveurs ont commencé à m'appeler pour compatir à ma peine et me dire que quand je serais décidé à prendre un chien, ils seraient là pour m'aider.

Me voici donc, contre toute attente, dans la même situation que vous. Je m'apprête à prendre un chien et je peux vous dire que j'ai apprécié que Patricia Holden White me rappelle les subtilités de l'éducation canine. Pendant plus de trente ans, c'est à elle que j'ai adressé les nouveaux maîtres et leurs chiens. Le soir, c'est elle qui anime le club local d'éducation canine. Dans la journée, elle est agent littéraire, notamment pour moi.

Je suis fier de dire que ni mes éditeurs, ni Patricia, ni moi n'irons prétendre que ce livre renferme tout ce que vous devez connaître. Ce serait insensé. Notre but est de vous accompagner dans vos premiers pas de maître, afin que vous appreniez à vivre avec votre chien, à jouer avec lui et à en prendre soin. Il vous met simplement sur les rails. Vous pouvez le consulter, mais rien

ne remplacera les cours pour chiots ou les cours particuliers avec un bon éducateur canin, ni les conseils prodigués par votre vétérinaire en matière de santé ou d'alimentation. Je suis impatient d'accueillir un nouveau chien chez moi. Je sais tout le bonheur qu'il m'apportera, et j'espère que le vôtre vous en prodiguera autant.

20 conseils essentiels

1 Commencez à socialiser et à éduquer votre compagnon le plus tôt possible. Un animal âgé peut toujours être éduqué, mais plus le chien apprend tôt, plus il apprend vite et facilement. Plus il est vieux, plus il doit « désapprendre » avant de prendre de nouvelles habitudes.

2 Éduquez votre chien avec douceur et humanité, en utilisant des méthodes positives et motivantes. Les séances doivent rester amusantes et courtes, afin que le processus d'apprentissage soit un plaisir pour vous deux. Elles ne doivent pas être une corvée au risque de vous lasser très vite, l'un comme l'autre. Mettez de l'animation. Faites-le apprendre en jouant (évitez toutefois les jeux d'opposition). Lancez-lui, par exemple, des objets à ramener ou jouez à cache-cache.

3 La façon dont votre chien obéit à la maison influe obligatoirement sur son comportement à l'extérieur. S'il n'obéit pas systématiquement aux ordres que vous lui donnez chez vous, où les distractions sont peu nombreuses, il ne vous obéira certainement pas au doigt et à l'œil dehors, où les tentations sont plus grandes.

4 Ne laissez pas votre chien vous considérer, vous ou quiconque dans la famille, comme ses domestiques. Votre intérieur ne doit pas non plus être son terrain de jeu. C'est vous qui fixez les règles, pas lui. Toute la famille doit agir de façon cohérente par rapport à ce qui est permis ou non. Laissez-lui un endroit bien à lui pour se défouler.

5 La réglementation exige en principe que tous les chiens soient identifiés et sous contrôle de leur maître. Elle impose aux propriétaires de ramasser les déjections de leur chien.

6 Ne laissez pas votre chien quémander de la nourriture quand vous êtes à table et ne lui donnez pas vos restes dans votre assiette. Plutôt que de le laisser essayer de grappiller quelque chose, occupez-le avec un jouet à mordiller.

7 Ne le laissez pas faire la fête comme bon lui semble quand quelqu'un arrive chez vous. Fixez une règle et n'y dérogez jamais.

8 Ne laissez pas votre chien vous titiller jusqu'à ce que vous n'en puissiez plus. Donnez-lui un ordre (« Assis » par exemple) avant de lui accorder votre attention.

9 Ne donnez jamais un ordre que vous ne pourrez pas lui faire exécuter. Cela ne ferait qu'inciter votre chien à ignorer vos ordres. La plupart des chiens ont besoin de séances de révision des ordres de base, surtout à « l'adolescence », c'est-à-dire entre 8 et 18 mois.

10 Vos gestes comptent beaucoup plus que les mots que vous prononcez. Votre langage corporel doit être amical, spontané et sans aucune ambiguïté.

11 Dire à son chien « Assis… Assis… Assis ! » n'est ni productif ni efficace. Le fait de répéter plusieurs fois un ordre ne permet pas de capter son attention. Dites-lui simplement « Assis » et, s'il n'obéit pas, mettez-le doucement en position assise, puis récompensez-le.

12 Évitez d'associer des ordres incompatibles, comme « Assis, couché ! ». Dites-lui soit « Assis », soit « Couché ». « Assis, couché » est un ordre qui n'existe pas.

13 Même si votre chien est particulièrement indépendant ou désobéissant, adoptez un ton calme et autoritaire. Parler fort ou durement ne sert à rien.

14 Avant de gronder votre chien lorsqu'il n'obéit pas à un ordre, demandez-vous s'il comprend vraiment ce que vous voulez, s'il sait comment faire et s'il ne désobéit pas parce qu'il a peur, qu'il est stressé.

15 Utilisez un seul nom pour vous adresser à votre chien et associez-le toujours à quelque chose de positif. Ne l'employez pas pour le gronder, le menacer ou le punir. Il doit toujours réagir à son nom avec enthousiasme, sans hésiter ou avoir peur.

16 Une bonne éducation repose sur une bonne communication. Les réprimandes après coup ne servent à RIEN.

17 Lorsque vous éduquez votre chien, félicitez-le ou corrigez-le toujours au bon moment. Ayez à portée de la main de petites friandises. Une fois que le lien sera établi entre vous, il appréciera autant vos encouragements que les friandises.

18 N'essayez pas d'éduquer votre chien en présence d'un chien étranger. Non seulement ce dernier risque de vous distraire l'un et l'autre, mais le vôtre aura aussi tendance à ignorer totalement vos ordres.

19 Faites comprendre à votre chien ce que vous voulez qu'il fasse, pas ce que vous ne voulez pas qu'il fasse. En lui accordant toute votre attention quand il fait une bêtise, par exemple quand vous criez après lui en le repoussant parce qu'il vous saute dessus, vous renforcez son comportement et il risque de recommencer.

20 Évitez les séances de dressage si vous êtes fatigué ou grognon, ou si vous manquez de patience. Ce n'est pas en criant ou en brutalisant votre chien que vous lui apprendrez à vous respecter. La peur et le stress inhibent la capacité du chien à se concentrer et à apprendre.

Chapitre 1
Choisir
son chien

Qu'est-ce qu'un chien ?

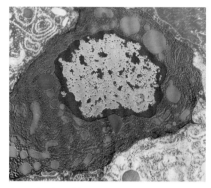

Les mitochondries – zones orange sur cette cellule de l'épiderme – contiennent l'ADN maternel.

Un chien est un chien. Ni plus ni moins. Pour vous, c'est sans doute un être affectueux et adorable, même s'il a parfois des habitudes un peu répugnantes et une hygiène personnelle défaillante. Les biologistes y voient pour leur part le descendant d'une très ancienne famille de loups asiatiques. Pour les vétérinaires comportementalistes, c'est le membre le plus évolué de la famille canine, avec ses capacités et ses limites. Pour moi, un chien est simplement un chien. Une espèce unique, douée d'une faculté incomparable de comprendre les humains et de s'entendre avec eux.

La preuve génétique

La carte du génome canin a été achevée en 2006, mais l'étude de son ADN avait déjà permis de répondre à un certain nombre de questions sur ses origines. Les mitochondries sont des structures très anciennes présentes dans toutes les cellules vivantes et dotées de leur propre ADN. L'ADN mitochondrial se transmet de génération en génération par la mère et possède une signature propre à chaque lignée. En étudiant l'ADN mitochondrial des loups et des chiens, les généticiens en ont conclu que les deux espèces se sont séparées il y a entre 40 et 100 000 ans. La plupart des spécialistes estiment que la relation entre l'homme et le chien remonte à 15 000 ans environ. Ce qui voudrait dire que l'événement génétique qui a présidé à la création du chien s'est produit bien avant qu'il ne se rapproche de l'homme.

Une sélection naturelle

Le loup et le chien ont encore presque le même ADN ; en les croisant, on obtient une descendance parfaitement saine. Même si l'on ne peut définir précisément quand les deux espèces se sont séparées,

on sait que dès le début le chien était autodomestiqué. Il a simplement suffi d'un changement léger mais significatif du mécanisme de réaction automatique, à savoir « fuir, combattre ou faire le mort », propre aux loups. L'animal a ainsi pu investir avec succès un nouvel environnement, la niche écologique humaine, dont les autres meutes de loups étaient encore absentes. Là, il a commencé à se nourrir des déchets des hommes et de petits mammifères attirés par leur nourriture. Dans ce nouvel environnement, il était protégé des grands prédateurs, déjà éliminés par l'homme. Ce chien-loup s'est adapté à ce milieu. Il a fini par devenir plus petit et ses dents se sont multipliées. Curieusement, et sans que l'on sache pourquoi, ses sinus frontaux se sont agrandis. Et

– il faut bien le mentionner – son cerveau s'est également réduit d'un tiers.

Sélection artificielle

Dès lors, l'homme a probablement commencé à capturer des jeunes chiens-loups. Même si la plupart finissaient dans une marmite, le caractère affectueux de ces chiots ne laissait pas indifférent. L'homme d'aujourd'hui est tout aussi attendri par un chiot que l'était son ancêtre de la préhistoire, avec ses coutumes d'alors. Ce n'est qu'une fois adulte que le chien

Les terriers, autrefois chiens de travail, ont trouvé aujourd'hui un nouvel emploi comme chiens de compagnie.

L'homme réagit instinctivement au charme d'un chiot. Ce chien chanteur de Nouvelle-Guinée est habillé comme tous les membres de la famille.

cour impériale de Chine. Ainsi est apparu l'ancêtre du Pékinois actuel. Sans parler des chiens courants, pointers, setters et rapporteurs parfois sélectionnés pour la couleur de leur robe. Toutefois, ce n'est qu'au début du XVIIIe siècle, avec l'accroissement des richesses, l'apparition des loisirs et l'urbanisation que les chiens ont commencé à être sélectionnés pour leur couleur et leur longueur, pour leur conformation et leur beauté. Les registres généalogiques canins, qui ont donné naissance aux sociétés canines d'aujourd'hui et garantissent la pureté génétique des centaines de races du monde, existaient déjà au XIXe siècle. Un chien non inscrit et sans pedigree (un corniaud) ne pouvait pas être à la mode.

Les chiens et nous

La raison pour laquelle le chien est devenu notre meilleur ami et l'animal de compagnie le plus populaire est simple. Il sait mieux que toute autre espèce, y compris les primates, décrypter nos mouvements. C'est un fin observateur et il apprend très vite à anticiper nos gestes et nos désirs. Il est sur la même longueur d'onde que nous.

risquait d'être ignoré, maltraité ou mangé. Certains chiots, sans doute les plus sociables et les plus vigilants, ont survécu et ont pu se reproduire. Dotés d'une ouïe et d'un odorat extraordinaires, ils se sont transformés en sentinelles capables d'avertir les hommes en cas de danger. Certains les accompagnaient à la chasse et leur aptitude à pister et à attaquer le gibier est vite devenue évidente. Les plus efficaces se sont reproduits, mais cette fois à l'initiative de l'homme.

L'intervention humaine dans la sélection naturelle a marqué la naissance du chien moderne. Il y a 7 000 ans, l'homme créait des chiens de chasse élancés et rapides ; il y a 5 000 ans, des chiens de combat et de garde massifs et des petits chiens d'agrément ; et il y a 1 700 ans, des chiens de chasse à pattes courtes, moins rapides. Il y a 1 300 ans apparaissaient les rapporteurs et les chiens d'eau et, cent ans plus tard seulement, les premiers chiens de terriers, ancêtres des terriers d'aujourd'hui, voyaient le jour en Europe. D'après une étude de 2005 reposant sur des analyses d'ADN, trois chiens sur quatre ont pour ancêtre commun une seule et même louve. À trois reprises,

d'autres gènes de loup sont venus s'ajouter, donnant naissance à quatre petits groupes de races anciennes. Toutes les races apparues par la suite ont été créées à partir de ces groupes au cours des trois cents dernières années.

La mode s'en mêle

Durant presque toute son histoire, le chien s'est reproduit naturellement ou a été élevé à des fins pratiques. Certaines races étaient déjà élevées pour satisfaire à une mode il y a plus de 2 000 ans, à la

LE CONSEIL DU VÉTÉRINAIRE

Certains de mes clients sont persuadés que des races comme le Boxer (voir p. 33) ou le Doberman (voir p. 52) ont la queue courte et épaisse. Nous sommes si habitués à les voir sans queue que nous pouvons difficilement les imaginer avec. Or, ces chiens naissent avec une queue extrêmement expressive. Nous les amputons sans états d'âme pour des raisons culturelles et une question de mode. Tout a commencé il y a presque 2 000 ans. À l'époque, le

premier texte sur les soins du chien conseillait de couper la queue des chiots pour leur éviter de contracter la rage. La vogue consistant à modifier l'aspect extérieur du chien a connu son apogée au XIXe siècle en Allemagne, où l'on coupait les oreilles et la queue de toutes sortes de races de chiens de travail. L'amputation se fait uniquement pour des raisons esthétiques et ne se justifie pas sur le plan biologique. Si la nature a doté le chien d'une queue, c'est pour l'aider à garder l'équilibre et à envoyer des signaux.

Un côté humain ?

De façon surprenante, tous les spécialistes des neurosciences s'accordent à dire que seuls les humains ont une conscience. Les chiens ne ressentiraient-ils rien (joie ou tristesse, jalousie ou colère, satisfaction, frustration ou attirance, c'est-à-dire ce que vous et moi appelons des émotions) ? Est-il inconcevable qu'un chien puisse s'amuser ? Est-il vrai qu'il ne peut réagir qu'à des stimuli et qu'il est incapable de ressentir les mêmes émotions que nous ?

Les yeux du chien semblent exprimer des émotions humaines. On a l'impression qu'on peut lire dans ses pensées.

Les racines de la conscience

Pourtant, les recherches sur le cerveau démontrent de façon constante que les émotions ne naissent pas dans le néocortex (partie la plus développée du cerveau humain), mais plutôt dans des régions situées dans l'une des zones les plus primitives du cerveau (appelées structures subcorticales du système limbique), que nous avons en commun avec tous les autres mammifères. Les études menées sur cette partie du cerveau montrent que vous et votre chien avez à la base le même réseau émotionnel, constitué de sept systèmes différents. Assez logiquement, ces systèmes émotionnels ont été soumis au mécanisme d'évolution des espèces chez l'un et chez l'autre, mais les activités neurochimiques du cerveau, qui sont à la base des émotions, sont restées identiques. Des réactions automatiques se sont mises en place, permettant à chacun de savoir comment l'autre apprécie les différentes situations.

Les émotions positives

Certaines drogues dont les humains abusent parfois ressemblent beaucoup aux substances chimiques naturellement présentes dans le cerveau, appelées neuromédiateurs. D'autres stimulent la production de ces mêmes neuromédiateurs. L'activité physique peut aussi entraîner la production de substances chimiques déclenchant le plaisir. Ainsi, pour quelqu'un qui aime les défis comme mon fils Ben, la récompense d'un marathon de sept jours dans le Sahara ou de la traversée de l'Atlantique à la rame, c'est la libération dans son cerveau d'un neuromédiateur appelé dopamine, qui lui donne une sensation de plaisir. Sa chienne Maggi, un croisement

Beaucoup s'imaginent que leur chien les « embrasse » quand il les lèche. En fait, ce geste exprime davantage sa dépendance affective vis-à-vis de ses maîtres.

de Border Collie et de Labrador, est parfois capable de courir après des balles de tennis pour les rapporter jusqu'à épuisement, la dopamine étant là aussi le moteur de son activité.

Peur et panique

La peur et la panique font partie des émotions les plus difficiles à canaliser chez un chien. Une peur incontrôlée peut le rendre agressif, destructeur. L'anxiété de la séparation est l'un des symptômes les plus fréquents chez les chiens sauvés de l'abandon. Des études récentes ont démontré que la tristesse chez les humains et l'anxiété de la séparation chez les animaux mettaient en œuvre presque les mêmes régions du cerveau. Ceux qui ont l'habitude des chiots savent bien que la détresse qu'ils ressentent quand on les sépare de leur mère peut être soulagée par le contact physique avec leur maître. Des neuroscientifiques ont démontré que ce contact déclenchait la production d'endorphines (neuromédiateurs). Le besoin biologique de contact physique chez les chiens a donc quelque chose d'humain. Cette récompense est efficace ; c'est aussi la plus facile à offrir quand on éduque son chien.

Au jour le jour

La vie mentale du chien est riche – plus riche que certains ne veulent l'admettre. Toutefois, ce qui le différencie de nous, c'est son apparente incapacité à analyser ses émotions et à faire un lien entre passé, présent et futur. Ainsi, un chien laissé seul ne sait-il pas comment réagir et ne parviendra pas à se faire une raison en attendant le retour de son maître : il vit dans l'instant.

La responsabilité du maître

Le chien doit s'épanouir en vivant sa vie de chien, d'individu doué de sentiments. Les fluctuations des émotions ne sont pas aussi complexes chez lui que chez

l'homme, mais la gamme des sentiments est la même. Si vous avez envie d'un chien uniquement parce que vous estimez qu'il fera bien dans le tableau, réfléchissez-y à deux fois. Car ce chien sera un membre de la famille à part entière, avec sa propre vie affective. Les chiens partagent leurs émotions avec nous ; face à cela, nous avons une responsabilité de parents et nous devons veiller à les préserver de tout stress excessif.

Les chiens ont besoin de contact et nous nous sentons valorisés par leur demande d'attention.

LA GAMME DES ÉMOTIONS			
Système émotionnel	**Émotions**	**Chez l'homme**	**Chez le chien**
ENVIE	Motivation, frustration, mécanismes moteurs	Désir de gagner, obsessions, addictions	Désir de rassembler, talonner, marquer l'arrêt et rapporter
RAGE	Colère, irritabilité	Haine, mépris	Hargne
PEUR	Anxiété, panique, phobies	Inquiétude	Panique, phobies, agressivité due à la peur
PANIQUE	Angoisse de séparation, tristesse	Timidité, honte, gêne ; culpabilité	Anxiété de séparation, tristesse
DÉSIR	Sentiments érotiques	Jalousie	Jalousie
AFFECTION	Attirance, comportement nourricier	Amour, romantisme	Besoin de contact avec son maître

Avoir un chien

Le chien « idéal » qui attend gentiment que son maître ait envie de s'en occuper est un mythe.

J'imagine que vous avez déjà votre vie, un travail, une famille, des loisirs. Et maintenant, vous voulez un chien. Vous êtes-vous demandé pourquoi ? Vous avez envie d'un chien qui remue la queue quand il vous voit, qui vous regarde avec ses yeux pleins d'amour et qui vous accompagne dans vos promenades ? Avez-vous pensé qu'il pourrait saccager votre maison, creuser le jardin ou se mettre en danger ? Un bon maître est un maître qui sait anticiper toutes les situations.

Se sentir utile

Le besoin de se sentir indispensable est exclusivement humain. Chez la plupart des espèces, voire chez toutes, le besoin de materner, de s'occuper de ses petits, ne dure qu'un certain temps après la naissance. Chez les chiens, il dure moins de six mois. L'être humain est différent ; le comportement nourricier dure la vie entière. Chacun satisfait ce besoin à sa façon. Certains le comblent en prenant soin de leur chien.

Un chien, c'est du temps

Si vous avez déjà eu un chien ou que des personnes de votre entourage en possèdent un, vous avez conscience qu'un animal exige beaucoup d'attention, surtout lorsqu'il est jeune. Il vous faudra du temps pour l'éduquer, lui faire faire de l'exercice, en prendre soin et entretenir son pelage, sans compter les soucis divers et variés. Pour certains, un chien, c'est beaucoup de temps perdu. Pour d'autres, c'est du temps

bien occupé. Une fois que votre chien sera grand et qu'il se sera plié à vos habitudes, vous retrouverez une vie normale.

Un chien, c'est sale

Certains chiens un peu délicats détestent se salir ou se mouiller, mais ils sont rares. En général, les chiens adorent se vautrer dans la boue, creuser la terre, s'enfouir dans la neige, nager dans les fossés pleins d'eau et se rouler dans tout ce qui est particulièrement dégoûtant et malodorant. Leurs poils se salissent, abritent des parasites qui s'y reproduisent, piègent les pellicules, fragments de peau auxquels certains humains sont allergiques. Quant aux odeurs, vous pouvez aisément les imaginer. Quand on aime vraiment les chiens, on en prend

son parti. Certains ont plaisir à étudier le moindre comportement de leur animal, tandis que d'autres associent la vie commune avec un chien à une opportunité unique de découvrir la nature.

Un chien, c'est cher et ça prend de la place

Un chien implique un budget certainement plus élevé que vous ne le pensez. Les accessoires, la nourriture, la pension, le vétérinaire et une éventuelle assurance ne vous coûteront peut-être chaque jour guère plus que votre petit noir au comptoir, mais sur plus de douze ans, la somme n'est pas négligeable. Un chien prend aussi de la place – physiquement et affectivement. On peut facilement lui trouver un coin dans une

ÊTES-VOUS FAIT POUR AVOIR UN CHIEN ?

Si vous voulez le savoir, assistez à un cours d'éducation canine. Les éducateurs sont des mordus de la gent canine : demandez-leur conseil sur le type de chien qui vous conviendrait. Toutefois, ce n'est pas eux qu'il faut observer, mais plutôt les gens qui fréquentent les cours.

Ceux-là sont de vrais bons maîtres, décidés à investir du temps et de l'argent pour améliorer leurs relations avec leur compagnon. Si vous vous sentez une fibre commune avec eux, si vous percevez en vous les mêmes aspirations, c'est que vous êtes fait pour avoir un chien.

Un maître digne de ce nom sait que le chiot est un être totalement différent du chien adulte.

petite maison, mais la place qu'il occupera chez vous au niveau affectif sera toujours considérable.

Attention à l'âge

Le comportement d'un chien à son arrivée chez vous est lié à son âge. Les chiots de moins de douze semaines sont les plus sensibles ; les chiens plus âgés ont déjà leurs habitudes. Ceux d'âge mûr ont des « manies » bien ancrées et il faudra parfois les leur faire perdre avant de leur inculquer les bonnes manières. Aussi faut-il déjà aimer et bien connaître les chiens pour adopter un adulte abandonné. Pour

le néophyte, mieux vaut prendre un chiot – âgé d'environ huit semaines : pendant un mois il sera encore ouvert à tout. Le sexe d'un chien est également important, les hormones sexuelles induisant certains comportements ; à cet égard, la stérilisation précoce a de nombreux avantages (voir p. 19).

Aimer les chiens, c'est être réaliste

Il y a toujours un fossé entre les attentes du maître et la réalité de la vie avec un jeune chiot turbulent, aussi mignon soit-il. Un bon maître sait qu'un chien atteint sa maturité physique bien avant sa

maturité affective, et que certains chiens restent enfants toute leur vie (c'est le cas du Boxer). Mais il sait aussi que la nature permet parfois d'accomplir des miracles : avec le temps et suffisamment d'encouragements, le chiot finit par se transformer en un adulte au comportement prévisible, naturellement fidèle.

Le chien n'est pas seulement une compagnie. Il sait aussi donner à ses maîtres un sentiment de sécurité et il est toujours disponible pour jouer.

Des chiens et des races

Vous pouvez critiquer mes goûts musicaux, mon équipe de foot préférée, ma conception des vacances, voire le choix de mon épouse, mais ne faites surtout jamais la moindre remarque négative sur mon chien ! Ou sur sa race. Les gens qui ont un chien n'ont absolument aucun sens de l'humour à ce sujet. Je sais très bien que vous allez choisir un chien parce qu'il ressemble à Pollux. Néanmoins, au cas où vous chercheriez à faire un choix davantage guidé par la raison, voici quelques information pratiques.

Des chiens par millions

S'il existe plus de 400 races, celles-ci ne représentent qu'une minorité parmi les quelque 200 millions de chiens qui peuplent le monde entier. La plupart sont un mélange d'au moins deux races ou des individus issus de races indéterminées – ces derniers sont appelés corniauds. Les races pures sont intéressantes pour l'homme dans la mesure où les caractéristiques physiques et mentales du chien sont connues. L'avantage est plus discutable du point de vue du chien : qui dit race pure dit fermeture de son patrimoine génétique à de nouveaux apports. Aucun gène nouveau ne peut être introduit. Une fois qu'une race a été reconnue par une société canine, seuls les chiens enregistrés auprès de celle-ci peuvent être utilisés pour la reproduction. L'apparence du chien est ainsi préservée, mais le risque de conserver des gènes potentiellement néfastes dans un patrimoine génétique limité se trouve accru. Si vous choisissez un chien de pure race, renseignez-vous sur les problèmes génétiques propres à sa race. Si c'est plutôt son comportement qui vous intéresse, sachez qu'il existe grosso modo trois groupes de chiens : ceux destinés à travailler avec l'homme, ceux destinés à travailler seuls et ceux destinés à ne pas faire grand-chose.

Que recherchez-vous ?

Pourquoi désirez-vous un certain type de chien ? Si c'est parce qu'il vous est

NOMENCLATURE DES RACES

La nomenclature en vigueur en France est celle de la Fédération cynologique internationale (FCI). Elle compte dix groupes. Les nomenclatures du Kennel Club (Royaume-Uni), de l'American Kennel Club (États-Unis) et du Canadian Kennel Club (Canada) sont différentes. Ne figurent ci-dessous que les groupes de la FCI.

Fédération cynologique internationale	
1 Chiens de berger et de bouvier (sauf chiens de bouvier suisses)	**6** Chiens courants, chiens de recherche au sang et races apparentées
2 Chiens de type pinscher et schnauzer – Molossoïdes – Chiens de montagne et bouvier suisses	**7** Chiens d'arrêt
	8 Chiens rapporteurs de gibier – Chiens leveurs de gibier – Chiens d'eau
3 Terriers	
4 Teckels	**9** Chiens d'agrément et de compagnie
5 Chiens de type spitz et de type primitif	**10** Lévriers

familier, c'est une excellente raison, car vous savez déjà à quoi vous attendre. C'est son look qui vous intéresse ? Pensez au temps que vous devrez investir pour le conserver. Recherchez-vous un chien original pour montrer que vous êtes différent vous aussi, que vous vous distinguez du commun des mortels ? Réfléchissez à vos motivations et à l'adéquation de votre choix avec votre style de vie.

Taille et sexe

La règle est simple : les chiennes sont généralement plus faciles que les chiens. Elles ne lèvent pas la patte partout et ne cherchent pas à jouer les gros bras. La stérilisation précoce des femelles permet d'allonger leur espérance de vie de dix-huit mois en moyenne. Chez le mâle, l'opération permet dans la majorité des cas de le rendre plus docile. Quant à la taille, le principal problème est le coût ; la facture de médicaments peut être très

Plus le chien est grand, plus son maître doit dépenser pour le nourrir, le soigner et le faire garder.

élevée. Choisissez une race en fonction de sa vitalité et de l'espace dont elle a besoin pour se dépenser plutôt que pour sa taille.

Une question de temps

Réfléchissez au temps que vous devrez accorder à votre chien pendant les douze à quinze ans à venir. Certaines races nécessitent une éducation beaucoup plus longue et ont besoin de se dépenser beaucoup plus que d'autres. D'autres ont une espérance de vie plus courte que la moyenne et exigent un investissement énorme aussi bien sur le plan physique que sur le plan affectif. La plupart des gens sous-estiment le temps qu'ils devront consacrer à leur chien avant qu'il ne soit tel qu'ils le voudraient : obéissant, faisant vraiment partie de la famille.

CARACTÈRES

Dans les pages qui suivent, l'encadré « Carte d'identité » note les traits de caractère de chaque race de 1 à 10. Ces notes reposent sur des statistiques fournies par les sociétés d'assurances.

Nerveux : correspond à la rapidité à laquelle un chien réagit aux stimuli visuels et sonores, et à sa promptitude à revenir à un comportement acceptable. Les petits chiens (surtout les terriers) sont plus nerveux que les grands chiens et obtiennent une note élevée.

Réceptif au dressage : indique la facilité avec laquelle le chien peut être dressé à obéir. Ce facteur dépend autant de l'environnement qu'il a connu tout petit que de la race. Les races créées pour travailler avec l'homme, comme le Berger allemand et le Border Collie, sont plus faciles à dresser que celles destinées à être plus indépendantes ; leur note est donc élevée.

Joueur : correspond à la capacité du chien à s'amuser. Plus la note est élevée, plus il y a de chances que le chien, une fois adulte, continue à aimer jouer, avec vous ou avec d'autres chiens. Pour le Caniche, cette note est élevée.

Bruyant : détermine le degré de nuisance sonore de ses aboiements. Le Beagle et beaucoup de petits chiens obtiennent une note élevée. Plus la note est élevée, plus le chien a des chances d'aboyer de façon excessive. Ne sous-estimez pas l'importance de ce point, car il peut détériorer les bonnes relations que vous avez avec vos voisins !

Dominant : indique la tendance naturelle du chien à vouloir dominer sa famille d'adoption. Les races ayant naturellement tendance à accepter une position hiérarchique inférieure dans la famille, comme le Golden Retriever, obtiennent une note basse. Elles sont les plus adaptées aux néophytes.

Espérance de vie : durée de vie moyenne des chiens d'une même race. Elle est souvent dépassée.

Labrador Retriever

Le Labrador vient au troisième rang des races préférées des Français. Il y a de bonnes raisons à cela. Ce chien affectueux peut mettre des années à atteindre sa maturité. La plupart du temps, il reste un éternel enfant jusqu'à sa mort. Certains lui reprochent d'être gentil mais effacé. Accordons-lui plutôt le mérite d'un tempérament égal et optimiste.

Ce chien naturellement gai sait aussi se tenir tranquille.

Naturellement à l'aise dans l'eau

Le besoin inné qu'a le Labrador de se mouiller remonte à ses origines. Il vient en effet de la province canadienne de Terre-Neuve. Personne ne sait comment son ancêtre, rapporteur de gibier d'eau baptisé Chien de Saint-Jones ou Petit Terre-Neuve, est né ; il est sans doute issu d'un croisement entre chiens importés à Terre-Neuve par des pêcheurs de morue portugais, basques, irlandais et anglais. Au début du XIXᵉ siècle, des spécimens sont

CE QU'IL FAUT SAVOIR

Personnalité

Le Labrador prend la vie du bon côté, mais déborde d'énergie quand il est jeune. Il gère plutôt bien l'imprévisible – le comportement des enfants par exemple – et il a un énorme besoin d'affection, qu'il réclame en adoptant un air triste. Le Labrador est moins agressif que la plupart des chiens. Il y a peu de chances qu'il essaie de vous dominer, et il est assez placide vis-à-vis de ses congénères. Il peut faire un très mauvais chien de garde.

Santé

Plus de 25 maladies génétiques peuvent toucher le Labrador, les plus fréquentes affectant les hanches, les genoux ou les coudes. Les bons éleveurs utilisent des tests pour les repérer, notamment celles liées aux yeux. Les maladies auto-immunes, comme les allergies cutanées et digestives, sont de plus en plus fréquentes. Le Labrador pâtit parfois d'une forme héréditaire d'épilepsie. Certaines lignées souffrent d'allergie aux médicaments, notamment au carprofène, un anti-inflammatoire non stéroïdien répandu.

Contraintes

Le Labrador perd beaucoup de poils toute l'année et remue la queue avec vigueur… au niveau de la table basse du salon de préférence. Il ne fait pas exprès de renverser les verres qui s'y trouvent, mais il le fait. Sauf à adapter votre garde-robe, les couleurs de votre intérieur et vos meubles à votre chien, vous allez vite trouver que vous passez beaucoup de temps à faire du ménage. Et le Labrador mange beaucoup, 24 heures sur 24 s'il le pouvait. Si vous ne faites rien pour contrôler son appétit, il risque de se transformer en une énorme barrique, et il faudra un certain temps pour le faire maigrir.

**Races
pour
les inexpérimentés :**
Cavalier King Charles
Terriers de Norwich et du Norfolk
Schnauzer nain
Labrador Retriever
Golden Retriever
Terrier du Yorkshire

pigmentation de leur truffe s'ils sont crème ou chocolat. D'après les éleveurs, les Labradors crème sont un peu plus « destructeurs » et gémissent davantage que les noirs quand on les laisse seuls, mais la différence est minime. La robe est composée d'un poil brillant et d'un sous-poil dense isolant et imperméable, ce qui est idéal pour nager.

Attention, tornade !

Le Labrador aime faire plaisir. Comme il est assez calme, il écoute et réagit bien au dressage, mais il peut aussi se transformer en tornade. Les Labradors qui ont plutôt un tempérament de chien de travail ont une énergie inépuisable.

Ne vous laissez pas tromper par l'attitude tranquille du chiot de la page de gauche. Le Labrador, masse compacte de muscles, a besoin d'activité pour s'épanouir. Son énergie semble inépuisable.

ramenés dans les ports de pêche anglais. Ils sont vendus à des propriétaires terriens, qui les entraînent alors à la chasse. En quelques dizaines d'années de sélection rigoureuse, ces aristocrates créent une nouvelle race de chien sportive, avec un standard défini. Désormais appelé Labrador, ce chien est utilisé dans toute l'Europe. À la fin du XXe siècle, il a quitté les champs pour les canapés. S'il fréquente les grands de ce monde – présidents français comme François Mitterrand, américain ou russe, ou membres de la famille royale de Suède, du Royaume-Uni ou de Hollande –, il continue néanmoins à adorer se mouiller et éclabousser son maître en se secouant.

D'exposition ou de travail

Quand vous choisissez un Labrador, intéressez-vous toujours à ses antécédents. La plupart des Labradors sont élevés pour les expositions ou la compagnie, mais beaucoup sont destinés à la chasse et au pistage. Ces derniers sont en général plus petits, plus minces et plus énergiques. Leur maître doit avoir plus de temps à leur consacrer car ils ont énormément besoin de se dépenser.

Les couleurs

Il est possible de faire un test génétique pour déterminer la couleur des chiots qui naîtront de parents reproducteurs, et même pour connaître le degré de

CARTE D'IDENTITÉ

Taille :	54-57 cm
Poids :	25-30 kg
Espérance de vie :	12,6 ans
Mission originale :	leveur et rapporteur
Pays d'origine :	Canada/Royaume-Uni
Couleur :	unie noire, crème ou chocolat
Nerveux :	2-9
Réceptif au dressage :	8
Bruyant :	4
Joueur :	8
Dominant :	3-6

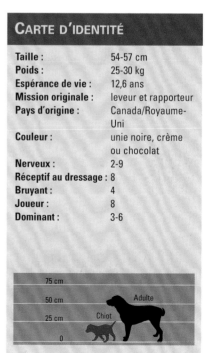

Berger allemand

Si le Labrador (voir p. 20) est une race très populaire en France, le Berger allemand a la préférence entre toutes. On compte plusieurs millions d'individus dans le monde. Tous descendent d'un petit groupe de chiens utilisés dans les fermes du nord de l'Allemagne. La race doit son énorme succès à celui qui fut sans doute le plus grand éleveur canin de tous les temps, Max von Stephanitz.

Le Berger idéal

Il y a souvent une grande différence entre ce que le Berger allemand devrait être et ce qu'il est. De mon point de vue, les meilleurs Bergers allemands sont issus d'une bonne lignée de chiens de travail (souvent à poils longs) : ils sont faciles à dresser et très obéissants, enjoués et toujours gentils avec les enfants, acceptant facilement d'être de temps en temps malmenés. Malheureusement – et je le déplore –, je vois de plus en plus souvent de Bergers allemands, issus de

lignées de chiens d'exposition, très nerveux, inquiets et méfiants, collants, qui se mettent à mordre par peur quand un étranger s'approche d'eux.

Une excellente promotion

Max von Stephanitz a créé le Berger allemand actuel à partir de chiens de berger il y a un peu plus de cent ans, dans le nord de l'Allemagne et dans les pays voisins (Belgique et Pays-Bas). Il existe encore aujourd'hui sept variétés reconnues de races régionales de chiens de troupeau dans ces pays, ce qui donne une idée de la diversité des chiens à partir desquels il a travaillé.

Au début de la Première Guerre mondiale, il a offert gratuitement des chiens à l'armée allemande. Ils ont rapidement remplacé les autres races,

pour la plupart étrangères, utilisées à l'époque par les militaires. Durant la guerre, 48 000 Bergers allemands ont été employés comme chiens de garde, comme messagers et même comme installateurs de câbles téléphoniques. Certains ont été capturés ou achetés par des soldats originaires de divers pays. À la fin de la guerre, la race avait conquis le monde entier.

Le Berger allemand est souvent surnommé « chien-loup » du fait de sa ressemblance avec le loup, mais il n'est pas aussi féroce qu'on pourrait le penser.

Star hollywoodienne

Aux États-Unis, sa noblesse lui a valu d'attirer l'attention des producteurs d'Hollywood et, grâce à des personnages

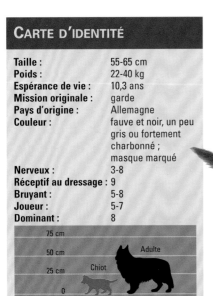

CARTE D'IDENTITÉ	
Taille :	55-65 cm
Poids :	22-40 kg
Espérance de vie :	10,3 ans
Mission originale :	garde
Pays d'origine :	Allemagne
Couleur :	fauve et noir, un peu gris ou fortement charbonné ; masque marqué
Nerveux :	3-8
Réceptif au dressage :	9
Bruyant :	5-8
Joueur :	5-7
Dominant :	8

75 cm	
50 cm	Adulte
25 cm	Chiot
0	

Chez le chiot, une des oreilles (voire les deux) peut être retombante.

**Des races
pour
les « hyper actifs » :**

Braque allemand à poil court
Labrador Retriever (lignée de travailleurs)
Springer anglais
Cocker anglais (lignée de travailleurs)
Berger australien
Berger belge
Berger allemand
Terre-Neuve
Border Collie
Épagneul breton

comme Strongheart ou Rintintin, il a
incarné aux yeux du public l'obéissance,
la fidélité, la fiabilité et le dévouement.
Même si la popularité du Berger allemand
fluctue légèrement, il reste depuis
cinquante ans le chien de garde le plus
apprécié dans le monde.

Une éducation indispensable

Malgré son nom, ce chien a absolument
besoin d'être dressé correctement. S'il est
bien éduqué – et il est facile à éduquer – le
Berger allemand est extraordinaire comme
assistant dans la recherche anti-drogue,
comme chien de garde, comme guide pour
les aveugles ; c'est aussi un merveilleux
compagnon pour toute la famille. S'il n'est
pas dressé, il présente un risque réel dans
la mesure où il est naturellement très
agressif envers les autres chiens et où il a
tendance à vouloir dominer l'homme.

*Les chiens
adultes à
adopter sont
fréquents dans
les refuges.*

CE QU'IL FAUT SAVOIR

Personnalité
Réfléchissez-y à deux fois avant de vous
décider pour le chiot blotti dans un coin du
panier. Le Berger allemand fait partie des
chiens les plus destructeurs. L'anxiété de
la séparation (voir p. 156) est fréquente
chez ceux qui ont été abandonnés, et ils
sont capables de saccager une pièce avant
que vous n'ayez eu le temps de lui dire
« C'est la dernière fois que je te laisse tout
seul mon chéri ». Un Berger allemand
anxieux, c'est simplement un très gros
chien d'agrément à l'allure bienveillante.
Tout ce qu'il souhaite, c'est monter sur vos
genoux. Et il fera tout pour y arriver.

Santé
Cette race souffre souvent de dysplasie de
la hanche, mais son espérance de vie
relativement faible est avant tout liée à
une maladie génétique qui entraîne la
paralysie des membres arrière, appelée
myélopathie dégénérative. Elle touche un
Berger allemand sur cinq. Ce chien peut
aussi souffrir de problèmes digestifs
d'origine génétique et d'une maladie auto-
immune provoquant des douleurs au
niveau de l'anus.

Contraintes
Le Berger allemand, quelle que soit la
variété, perd beaucoup de poils : en
général rudes, ils sont faciles à aspirer.
Le dressage est aisé mais des rappels
permanents sont nécessaires. Lorsque l'on
fait faire de l'exercice à un Berger
allemand, il est important de rester vigilant
et d'avoir conscience qu'il peut agresser
d'autres chiens ou se faire agresser par
eux. Les problèmes médicaux ne sont pas
rares. Vous passerez beaucoup de temps à
trouver le bon régime alimentaire et à lui
faire faire tout l'exercice dont son corps et
son cerveau ont besoin.

Cocker anglais

Une explication s'impose d'emblée. Le nom officiel de cette race varie d'un pays à l'autre. En Europe, on l'appelle simplement Cocker. Dans le reste du monde, ce nom désigne son descendant, le Cocker américain, présenté ci-contre. Pour compliquer encore un peu plus les choses, le Cocker (anglais) d'exposition et le Cocker (anglais) de travail sont deux chiens très distincts l'un de l'autre. Leur aspect physique et leur comportement diffèrent considérablement.

La robe blanc et feu de ce chiot peut s'assombrir avec l'âge.

Débordant d'affection

Le Cocker est un chien adorable : il est gentil avec les humains et les autres chiens, et il a en permanence besoin d'affection, ce qui explique sans doute sa grande popularité. À côté de cela, il ramène de l'eau, de la neige et de la boue jusque dans la maison ; et sa lèvre inférieure pendante étant sujette aux infections, il s'en dégage parfois une odeur de poisson en décomposition. Il a un poil dense susceptible d'entraîner toutes sortes de maladies de peau. Pour le néophyte, c'est un chien facile à vivre, mais son poil a besoin d'être régulièrement lavé, brossé et taillé pour éviter les odeurs.

Chiens de travail

Les lignées de Cockers destinées au travail sont souvent complètement différentes de celles destinées aux expositions, même si elles se mélangent parfois. Les premiers sont plus petits, ils ont la tête moins bombée, les oreilles plus courtes et beaucoup plus d'énergie. Leur caractère se rapproche davantage de celui des Cockers d'origine, créés il y a plus de deux cents ans dans le sud-ouest de la Grande-Bretagne pour lever et rapporter la bécasse (en anglais *woodcock*). Ils exigent autant d'affection que leurs cousins destinés aux expositions, mais ils sont en général plus actifs et enjoués, et plus faciles à dresser ; ils doivent être beaucoup plus stimulés physiquement et mentalement. Ils ont moins de franges, ce qui implique moins de toilettage.

CARTE D'IDENTITÉ

Taille :	38-41 cm
Poids :	12-14,5 kg
Espérance de vie :	12,5 ans
Mission originale :	leveur et rapporteur
Pays d'origine :	Royaume-Uni
Couleur :	plus de 30 variétés
Nerveux :	5-8
Réceptif au dressage :	5-9
Bruyant :	6
Joueur :	5-8
Dominant :	4-10

50 cm
25 cm
0
Adulte
Chiot

CE QU'IL FAUT SAVOIR

Personnalité
Sachez qu'avec les robes unies, le syndrome de dysthymie n'est pas à exclure ; il se traduit par des accès violents d'agression hiérarchique.

Santé
Le Cocker est moins touché que la moyenne par les maladies cardiaques et les cancers, mais son espérance de vie est plus courte du fait de la fréquence élevée des maladies auto-immunes.

Contraintes
L'éducation ne pose pas de problème, mais l'hygiène et le brossage exigent énormément de temps. Les Cockers de travail ont besoin d'exercice physique.

Cocker américain

Épaisse, la robe doit être brossée tous les jours.

Dans les années 1930, les éleveurs américains de Cocker qui souhaitaient sélectionner des chiens pour leurs qualités au travail ont fait sécession et formé le Club du Cocker anglais. Le club original a ainsi eu les mains complètement libres pour sélectionner des chiens à la tête plus petite, à la ligne dorsale plus inclinée et à la robe plus soyeuse.

Besoin de caresses

Le Cocker américain a beaucoup de points communs avec le Cocker anglais. C'est un chien de chasse qui adore les câlins. Le Cocker américain se bat assez peu avec ses congénères. Dès qu'il a atteint l'âge adulte, il se montre très calme et intéressé par la nature. Si l'on excepte les spécimens à robe unie atteint de dysthymie (syndrome héréditaire évoqué chez le Cocker anglais), c'est un compagnon affectueux capable de tisser des liens étroits avec ses maîtres.

Un pelage dense

Le conflit qui a opposé les éleveurs de Cocker et donné naissance au Cocker américain portait sur des critères esthétiques. L'élégance et le charme de ce chien américanisé, avec son long poil dense et soyeux, lui ont valu un énorme succès, mais la médaille a son revers, car ce poil épais a eu pour effet d'augmenter la fréquence d'une affection cutanée appelée séborrhée. Dans sa forme sèche, elle se traduit par de nombreuses pellicules ; dans sa forme grasse, le pelage est revêtu d'une pellicule peu agréable au toucher ; dans les deux cas, elle s'accompagne de problèmes de peau, notamment des infections bactériennes. Le pelage épais et dense des oreilles peut aussi empêcher la circulation d'air dans les conduits auditifs, ce qui peut entraîner des problèmes auditifs. Le pelage dense des pieds retient facilement les épis de graminées qui risquent ensuite de se planter entre les orteils.

Les Cockers à robe unie fauve doré peuvent avoir un caractère dominateur.

CE QU'IL FAUT SAVOIR

Personnalité

Même s'il est facile à éduquer, le Cocker américain n'apprend pas aussi vite que le Cocker anglais. Garder la maison n'est pas sa principale préoccupation ; ce qui l'intéresse, c'est d'être avec vous… ou sur vous.

Santé

Pour être autorisé à se reproduire, le Cocker doit être indemne d'une tare congénitale appelée atrophie rétinienne. Plus de 25 maladies héréditaires peuvent affecter cette race, notamment la dermatite atopique et une forme grave d'anémie hémolytique (maladie auto-immune).

Contraintes

Le corps doit être entièrement inspecté (voir p. 172-173), notamment les oreilles et les espaces interdigitaux, après chaque promenade dans un endroit où la végétation s'accroche facilement aux poils.

CARTE D'IDENTITÉ

Taille :	34-40 cm
Poids :	10-13 kg
Espérance de vie :	12,5 ans
Mission originale :	agrément
Pays d'origine :	États-Unis
Couleur :	Plus de 30 variétés
Nerveux :	6
Réceptif au dressage :	7
Bruyant :	6
Joueur :	6
Dominant :	4-10

Golden Retriever

Le Golden Retriever arrive bon second au classement des races préférées des Français. Pour ma part, cela fait presque quarante ans que je suis sous la domination des Golden Retrievers. Ils font de moi tout ce qu'ils veulent. Dotés d'un corps magnifique, ils ne se roulent jamais dans les saletés, ne sentent jamais mauvais, ne se mouillent pas et ne rechignent jamais à faire ce qu'on leur demande. Certes, j'exagère un peu. Mais le Golden Retriever reste un chien extrêmement facile à dresser, enjoué et affectueux. Tout ceux que j'ai connus n'avaient pour seule raison de vivre que de faire plaisir à l'homme.

Les mâles adultes ont le poil le plus dense.

Un modèle de douceur

Calme et équilibré, le Golden Retriever adore les grandes familles. Il reste le chien idéal pour les débutants et pour ceux qui recherchent un compagnon assez grand. Leurs maîtres apprécient le grand air, ne se soucient pas de les voir perdre leurs poils et sont ravis d'avoir en leur chien un copain et non une arme ou un attribut leur permettant d'afficher un statut social ou un style branché.

Deux races différentes

Le néophyte aura tendance à confondre le Golden Retriever et le Labrador. Pourtant, ce sont bien deux races distinctes, quoique de même famille. Selon le standard de la race Golden Retriever, les couleurs sable, fauve clair et fauve orangé sont admises, mais le chien ne doit être ni rouge, ni acajou. Sa fourrure est plus épaisse que celle du Labrador. Les comportementalistes prétendent que c'est la race qu'ils soignent le plus pour des comportements d'agressivité de possession, la plupart de ces « patients » ayant une robe très claire. Malgré tout, c'est l'une des races qui se bat le moins facilement avec les humains ou ses congénères. J'en ai eu deux qui ont été de formidables chiens de garde.

CARTE D'IDENTITÉ

Taille :	51-61 cm
Poids :	25-31,5 kg
Espérance de vie :	12 ans
Mission originale :	leveur et rapporteur
Pays d'origine :	Royaume-Uni
Couleur:	ton fauve doré ; roux et acajou non admis
Nerveux :	2
Réceptif au dressage :	9
Bruyant :	2-5
Joueur :	9
Dominant :	1-3

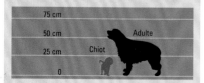

Les oreilles prennent très tôt la couleur du chien adulte.

CE QU'IL FAUT SAVOIR

Personnalité
Si vous avez un Golden, cachez vos petites culottes, car il risque de se pavaner avec un jour où vous aurez de la visite. Son besoin de rapporter est inné. Il est aussi le chien d'assistance le plus populaire au monde.

Santé
Pour autoriser un chien à se reproduire, il faut s'assurer qu'il ne souffre ni de dysplasie de la hanche ou du coude ni de tares oculaires congénitales, comme l'atrophie rétinienne progressive. Autres problèmes : les allergies qui se manifestent sous la forme de prurit ou de diarrhée, et les infections de la peau.

Contraintes
Le pelage doit être brossé régulièrement et lavé de temps en temps. Prévoyez une ou deux heures d'activité quotidienne à l'extérieur, quel que soit le temps.

Springer anglais (ou Springer Spaniel)

Cette race, la plus populaire de Grande-Bretagne, se développe en France depuis le début des années 2000. Son tempérament n'est pas sans rappeler le fougueux Golden Retriever : besoin de se sentir aimé, envie de jouer et de réfléchir. Très actif, ce chien est souvent aux côtés des douaniers sur les ports, où son flair excellent fait merveille pour détecter les produits de contrebande.

Un passé de travailleur

À la fin du XIXe siècle, les Spaniels étaient divisés en deux groupes : les Cockers, petits, destinés à lever la bécasse, et les Springers, destinés à la chasse au gros gibier. Ces derniers comportaient à leur tour deux races : le petit Springer gallois, aujourd'hui assez rare, et le Springer anglais, plus grand. Cette race convient parfaitement au débutant, à condition de la faire travailler et de la stimuler physiquement et intellectuellement. Enjoué et obéissant, le Springer anglais a parfois la même tendance obsessionnelle que le Border Collie (voir p. 54) et le Cocker anglais (voir p. 24) à s'adonner aux jeux, notamment ceux de rapport.

Une imagination débordante

Cette race semble s'allonger et s'alourdir au fil des décennies. Je vois aujourd'hui des Springer anglais aussi longs que des petits Golden Retrievers. Toutefois, le Springer anglais n'est pas sujet à l'obésité, bien au contraire : entre manger et jouer, il choisit souvent la seconde option. Le chiot devient adulte entre 18 et 24 mois, ce qui est assez rapide. Comme le Border Collie, il adore se dépenser mais, à la différence, il est capable de s'occuper tout seul lorsqu'il s'ennuie ou qu'on le laisse seul à la maison (voir p. 152-153) : sa capacité à ravager un intérieur est phénoménale et peut coûter très cher.

Les robes les plus appréciées sont les robes marron et blanc ou noir et blanc.

(voir p. 152-153)

CE QU'IL FAUT SAVOIR

Personnalité
Même les Springers anglais sélectionnés pour être uniquement des chiens de compagnie conservent leurs qualités de chien de travail. C'est donc la race idéale si vous recherchez un chien qui puisse à la fois vous accompagner à la chasse et vous tenir compagnie à la maison. Il adore les exercices de recherche et de sauvetage.

Santé
Pour être autorisé à se reproduire, le Springer anglais ne doit pas souffrir de dysplasie de la hanche ni présenter de signe de tare oculaire touchant la rétine ou la cornée. Comme le Cocker, il souffre assez souvent de séborrhée congénitale.

Contraintes
Vous devez stimuler votre chien physiquement et intellectuellement, ou accepter qu'il dévore vos tapis, rideaux et coussins… Il a besoin d'être brossé régulièrement et lavé de temps en temps.

CARTE D'IDENTITÉ

Taille :	env. 51 cm
Poids :	22,5 kg
Espérance de vie :	13 ans
Mission originale :	leveur et rapporteur
Pays d'origine :	Royaume-Uni
Couleur :	n'importe quelle couleur
Nerveux :	7
Réceptif au dressage :	9
Bruyant :	6
Joueur :	10
Dominant :	2

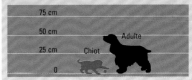

Cavalier King Charles

Avec son regard timide, son caractère affectueux et sa magnifique robe hivernale, ce chien fait, si j'ose dire, très « fille ». Tolérant et facile à vivre, le Cavalier King Charles connaît une popularité constante en Europe. Son côté féminin peut parfaitement disparaître si on le traite comme un chien et non comme une poupée. Les mâles surprennent parfois par leur caractère effronté : ils s'en prennent aux autres chiens, certains ne se laissant même pas impressionner par plus gros qu'eux.

La robe châtain et blanc est dite « blenheim ».

Chien de ville par excellence

Il n'y a pas mieux que le Cavalier King Charles pour qui n'a jamais eu de chien : il est à la fois sensible, doux et discret. Il est facile à dresser, ne cherche pas à faire preuve d'autoritarisme, est très affectueux et s'intègre comme un enfant dans la famille. Parfaitement adapté à la ville, il est aussi à l'aise sur un canapé que dehors, à pourchasser les petits rongeurs ou à jouer avec ses congénères. En principe, il est gentil avec les étrangers, et seuls ceux qui n'ont pas été bien socialisés quand ils étaient petits se méfient des autres chiens. Toutefois, il y a quelques ombres au tableau.

Une santé fragile

La propension du King Charles mâle à lever la patte partout est un problème mineur. La stérilisation permet de supprimer ou de modérer ce comportement. Le vrai problème, c'est sa santé. Ce chien vit en moyenne presque trois ans de moins que les autres races de sa taille, essentiellement en raison de la fréquence élevée des maladies cardiaques. Presque la moitié des Cavaliers King Charles ont un souffle au cœur à cinq ans. La vie des chiens qui bénéficient d'un traitement dès les premiers signes de défaillance cardiaque peut être prolongée de 18 mois environ, mais le maître ne peut que constater le vieillissement rapide et précoce de son compagnon.

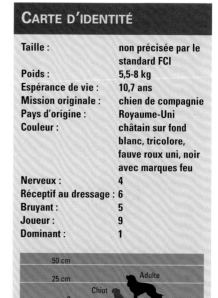

La couleur feu est peu présente dans les robes tricolores.

CE QU'IL FAUT SAVOIR

Personnalité
Ce chien est un véritable ours en peluche au regard doux. Il n'est pas très destructeur, il est enjoué, gentil avec les enfants et il ne remettra jamais en cause votre autorité.

Santé
Outre les problèmes cardiaques, 40 % des King Charles souffrent de syringomyélie, maladie qui provoque des douleurs au niveau de la tête et du cou. Celle-ci peut aussi se traduire par des démangeaisons dans la région de l'oreille. Le diagnostic se fait par IRM.

Contraintes
Ce chien, peu exigeant en temps, est plus détendu et heureux quand il est en société.

CARTE D'IDENTITÉ

Taille :	non précisée par le standard FCI
Poids :	5,5-8 kg
Espérance de vie :	10,7 ans
Mission originale :	chien de compagnie
Pays d'origine :	Royaume-Uni
Couleur :	châtain sur fond blanc, tricolore, fauve roux uni, noir avec marques feu
Nerveux :	4
Réceptif au dressage :	6
Bruyant :	5
Joueur :	9
Dominant :	1

50 cm
25 cm
0
Chiot
Adulte

Berger des Shetland

Les îles Shetland, perdues au nord de l'Écosse, sont petites. Les moutons qui y vivent sont petits. Le Berger autochtone l'est donc

aussi. Il ressemble à un Colley miniature et, même s'il est essentiellement utilisé comme chien de compagnie depuis vingt générations, il a gardé les aptitudes et les qualités d'un bon chien de berger. Il est facile à dresser et, s'il a l'occasion de les découvrir, il adore les disciplines de concours comme l'*agility*.

Le Berger des Shetland a souvent l'air en éveil, les oreilles semi-dressées

CARTE D'IDENTITÉ	
Taille :	33-39 cm
Poids :	5-10 kg
Espérance de vie :	13,3 ans
Mission originale :	chien de troupeau
Pays d'origine :	Royaume-Uni
Couleur :	tricolore, fauve charbonné ou non, bleu merle, noir et blanc, noir et feu
Nerveux :	3
Réceptif au dressage :	9
Bruyant :	6-7
Joueur : 9	Dominant : 1

Une robe magnifique

Les Bergers des Shetland photographiés il y a cent cinquante ans avaient presque la même taille que ceux d'aujourd'hui, mais ils avaient beaucoup moins de poils. Leur magnifique robe actuelle est le résultat d'une sélection destinée à produire des chiens d'exposition plutôt que des chiens de troupeau. Néanmoins, ce chien au caractère réservé, parfois craintif, a gardé les qualités physiques et mentales d'un chien de travail. Il se dresse très facilement et n'a aucune envie de défier les autres (vous ou les autres chiens) pour voir qui aura le dessus. Sa timidité le pousse souvent à pincer quand il est pris par surprise ou malmené par des étrangers ou des enfants.

Stimulation intellectuelle

Le Berger des Shetland prend peu de place. Il est plutôt peu destructeur quand il est seul à la maison. Si aucun adulte ne reste à la maison dans la journée, prévoyez quelqu'un pour lui faire faire des exercices d'*agility* ou d'obéissance (voir chapitre 3). Il a besoin d'être socialisé dès son plus jeune âge pour ne pas être effrayé quand il se trouve face à des situations ou à des gens nouveaux. Si c'est votre premier chien, il est préférable de lui faire côtoyer d'autres chiots, notamment dans le cadre de cours de dressage.

Le chiot a un sous-poil épais.

West Highland White Terrier

Faites le test : la prochaine fois que vous rencontrerez un vétérinaire, demandez-lui quel est le premier mot qui lui vient à l'esprit pour qualifier le « Westie » (diminutif du West Highland White Terrier). Il vous répondra certainement « vif ». Ce chien est en effet hardi et enjoué. Il participe activement à toutes les activités qu'on lui propose. C'est un compagnon plein de gaieté qui se considère comme un enfant de la famille.

Dès son plus jeune âge, le Westie est déjà vif et alerte.

CE QU'IL FAUT SAVOIR

Personnalité

Le Westie est très actif mais il aime bien rester à proximité de son maître. Même s'il arrive à certains Westies de pincer, ce chien est un merveilleux compagnon pour les enfants (à condition qu'ils ne l'embêtent pas).

Santé

La dermatite atopique et la séborrhée sont fréquentes dans de nombreuses lignées. La sécheresse oculaire (*keratoconjunctivitis sicca*) et, chez les sujets âgés, une maladie chronique appelée « fibrose pulmonaire idiopathique du West Highland White Terrier » le sont aussi. Toutes sont des maladies auto-immunes.

Contraintes

Le Westie a tendance à se salir. Il doit être souvent baigné – pas seulement pour rester propre, mais aussi pour limiter les démangeaisons. Prévoyez beaucoup de temps pour le dresser.

Une histoire de couleurs

Il y a quelques années, alors que j'attendais le ferry pour l'île de Mull, j'ai engagé la conversation dans la file d'attente avec un monsieur accompagné de deux vieux Westies. Je n'ai su qui j'avais en face de moi que lorsqu'il m'a invité à lui rendre visite avec mon épouse dans son château. Il s'agissait de Robin Malcolm, chef du Clan MacCallum et arrière-petit-fils de l'homme qui créa la race des deux spécimens endormis à l'arrière de sa voiture. Comme la plupart des petits terriers, le Westie est un peu exhibitionniste, mais ses origines sont tout ce qu'il y a de plus sérieuses. À la fin du XIXe siècle, le colonel E.D. Malcolm qui chassait avec son Cairn Terrier préféré prit ce dernier pour un lapin et le tua. D'où l'idée de produire un chien plus facilement repérable, le West Highland White Terrier, à partir des chiots blancs que l'ont trouve parfois dans les portées issues de Cairn Terriers froment.

Familier du vétérinaire !

So British, ce petit chien blanc a gagné le cœur des Français (il est au quatorzième rang des races les plus populaires). Il a de l'énergie à revendre, creusant des trous, sautillant et faisant le clown avec gaieté. Toutefois, comme beaucoup de terriers blancs, il est prédisposé à la dermatite atopique d'origine alimentaire ou environnementale. Avec un Westie, on fait vite connaissance avec son vétérinaire.

Toute la gamme des blancs est admise.

CARTE D'IDENTITÉ

Taille :	env. 28 cm
Poids :	6-8 kg
Espérance de vie :	12,8 ans
Mission originale :	chasse au lapin
Pays d'origine :	Royaume-Uni
Couleur :	blanc
Nerveux :	10
Réceptif au dressage :	3
Bruyant :	9
Joueur :	8
Dominant :	8

50 cm		
25 cm	Chiot	Adulte
0		

Border Terrier

Depuis une dizaine d'années, ce terrier haut sur pattes a su se faire une place. Il est de plus en plus apprécié en France, à juste titre. Peut-être est-ce parce qu'il a une grande popularité auprès des vétérinaires. Avec lui, pas de mauvaise surprise : il est tel que vous le voyez, c'est-à-dire un athlète capable de suivre les chevaux – sans parler des joggers. C'est un animal simple, sain et facile à dresser pour un terrier.

Des races pour familles avec temps libre :
Bobtail
Jack Russell Terrier
Husky sibérien
Border Terrier
Border Collie
Braque de Weimar
Boxer

Différences géographiques

Récemment encore, la différence de tempérament et d'aspect physique entre les Border Terriers nés près de la frontière entre l'Écosse et l'Angleterre et ceux nés dans le sud de l'Angleterre était considérable. Ceux du nord étaient plus exubérants et plus hauts sur pattes. Du fait d'une popularité croissante, ces différences sont en train de rapidement disparaître.

Origines modestes

À la différence du Westie, le Border Terrier a des origines assez modestes. Il s'est créé à partir de chiens relativement petits originaires des confins de l'Écosse et de l'Angleterre, capables de pourchasser les lapins et les renards jusque dans leurs terriers. Le fait qu'il n'a jamais été à la mode l'a préservé d'une sélection fondée sur l'esthétique. Son poil dur n'est pas seulement dense et imperméable, il le protège aussi quelque peu des morsures d'animaux. Ceux que je vois en consultation sont assez calmes par rapport à beaucoup d'autres terriers ; ils écoutent mieux lors du dressage, ce qui est l'élément le plus important pour réussir une éducation.

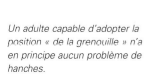

Un adulte capable d'adopter la position « de la grenouille » n'a en principe aucun problème de hanches.

CARTE D'IDENTITÉ

Taille :	non précisée
Poids :	5-7 kg
Espérance de vie :	13,8 ans
Mission originale :	chasse au lapin
Pays d'origine :	Royaume-Uni
Couleur :	fauve à fauve rouge, grisonnée ou bleue avec marques feu
Nerveux :	8
Réceptif au dressage :	5
Bruyant :	6
Joueur :	9
Dominant :	6

CE QU'IL FAUT SAVOIR

Personnalité
L'augmentation rapide de la cote de popularité de cette race est due non seulement à sa bonne santé et à son aspect modeste, mais aussi et surtout à son humeur égale. Le Border Terrier s'adapte à tous les types de familles.

Santé
Son succès grandissant va inévitablement s'accompagner de l'apparition de tares propres à la race. Pour l'instant, son patrimoine génétique lui assure la longévité la plus importante de tous les terriers.

Contraintes
Le Border Terrier n'est pas très exigeant. Le dressage est souvent un peu plus facile qu'avec les autres terriers, les visites chez le vétérinaire sont en général moins fréquentes et le brossage de son poil dur est rapide et simple. Comme tous les terriers, il a énormément besoin de se dépenser.

Bull-terrier du Staffordshire

Le Bull-terrier est, de toutes les races européennes, celui qui mérite le moins la discrimination dont il fait l'objet. Car les statistiques montrent qu'il n'est pas plus responsable de morsures que d'autres. Il est néanmoins interdit dans plusieurs pays d'Europe, notamment en Allemagne. Ce n'est pas le Bull-terrier qui est dangereux, mais certains maîtres qui veulent que le leur le devienne. Il vaudrait mieux obliger les futurs maîtres à suivre des cours plutôt que de légiférer contre telle ou telle race de chien.

Certaines femelles sont aussi musclées que ce mâle.

Double personnalité

Le Bull-terrier anglais est relativement petit ; celui d'Amérique du Nord, appelé American Staffordshire, pèse quant à lui jusqu'à 23 kg, et le Pitbull, issu de l'American Staffordhire, jusqu'à 36 kg. Tous descendent de chiens sélectionnés pour le combat et cette prédisposition leur est restée. Un Bull-terrier fidèle, dévoué et affectueux peut régresser et retrouver ses instincts de combattant face à un autre chien et, même petit, il peut être difficile à maîtriser.

Une énergie inépuisable

Le Bull-terrier est aussi réactif que n'importe quel chien : les jeux un peu brutaux l'excitent et il adore mordiller des jouets de façon obsessionnelle ou courir après pour les « tuer ». Il est puissamment bâti et les muscles de ses cuisses et de ses mâchoires ont l'air d'avoir gonflé sous l'effet de stéroïdes anabolisants. Même si sa face souriante lui donne un air adorable, ce chien est à réserver aux maîtres expérimentés. Le dressage est parfois long, mais il est indispensable. Le Bull-terrier s'imagine en effet que l'essentiel de sa tâche consiste à tirer sur sa laisse.

Ce qu'il faut savoir

Personnalité
Le Bull-terrier est un chien enjoué et affectueux avec sa famille, mais son caractère impulsif peut déclencher un comportement inhabituel. Les obsessions et les comportements compulsifs ne sont pas rares.

Santé
Cette race est moins sensible à la douleur que beaucoup d'autres, mais elle est sujette à la dysplasie de la hanche. Les mâles adultes entiers sont menacés d'hypertrophie bénigne de la prostate. Le Bull-terrier peut aussi développer un cancer de la prostate.

Contraintes
Un dressage précoce encadré par des professionnels est indispensable. Lui apprendre à marcher tenu en laisse (voir p. 136-137) demande parfois beaucoup de temps. Le poil exige très peu d'entretien.

Les chiots remplissent leur peau au fur et à mesure de leur croissance.

Carte d'identité

Taille :	35,5-40,5 cm
Poids :	11-17 kg
Espérance de vie :	10 ans
Mission originale :	combat
Pays d'origine :	Royaume-Uni
Couleur :	fauve à fauve roux, noir, bleu, blanc ; uniformes ou pie
Nerveux :	10
Réceptif au dressage :	3-5
Bruyant :	7
Joueur :	9
Dominant :	8

50 cm		
25 cm	Chiot	Adulte
0		

Boxer

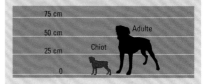

Quel est le chiot qui ne devient jamais adulte ? Le Boxer, évidemment. Cette race fait invariablement partie du Top 10 en Europe. Les femelles et les mâles castrés sont à la hauteur de leur réputation de tornade et

Ses oreilles montrent qu'il est détendu et satisfait.

trouvent très drôle de renverser les gens avant de leur faire les yeux doux ; les mâles entiers font en général preuve de plus de circonspection, voire de suspicion vis-à-vis des étrangers.

CARTE D'IDENTITÉ	
Taille :	53-63 cm
Poids :	25-30 kg
Espérance de vie :	10,4 ans
Mission originale :	combat
Pays d'origine :	Allemagne
Couleur :	fauve ou fauve bringé avec un masque toujours noir
Nerveux :	8
Réceptif au dressage :	5
Bruyant :	5
Joueur :	5
Dominant :	6

75 cm	
50 cm	Adulte
25 cm	Chiot
0	

La vie est faite pour être vécue

Ce chien débordant d'énergie adore jouer et se dépenser. On pense qu'il a été créé à partir d'une race ancienne, le Brabant

CE QU'IL FAUT SAVOIR

Personnalité
Le Boxer est souvent intrépide : il apprécie les sports canins extrêmes de son cru. Il a besoin d'un maître responsable pour tempérer sa nature excessive.

Santé
Le Boxer vit environ deux ans de moins que beaucoup de races de sa taille. L'incidence de diverses tumeurs malignes de la peau est plus élevée que la moyenne. Il est sujet à une maladie cardiaque appelée cardiomyopathie dilatée (CMD), qui provoque un amincissement des parois du cœur et une dilatation des cavités inférieures.

Contraintes
Le poil exige très peu d'entretien. Le dressage peut être exaspérant quand le chien est trop distrait pour écouter. Idéalement, deux heures devraient être quotidiennement consacrées à l'exercice physique quand le chien est en forme.

Bullenbeisser (« mordeur de taureaux »), mais son penchant pour les bagarres avec les autres chiens n'est pas plus marqué que chez les autres chiens de sa taille. Le Boxer est un clown assez turbulent. Les femelles sont particulièrement gentilles avec les enfants. Il y a quatre-vingts ans, les Boxers étaient encore essentiellement blancs, mais cette couleur a quasiment disparu depuis car elle a été interdite (ou à peine tolérée) dans les expositions. J'ai pu constater depuis quelque temps sa réapparition.

Faut-il amputer les Boxers ?
La tradition allemande d'amputation partielle des oreilles et de la queue a été exportée avec des races comme le Boxer, le Doberman (voir p. 52), le Schnauzer (voir p. 39) et le Dogue allemand (voir p. 43). L'amputation des oreilles, ou otectomie, n'est presque plus pratiquée dans de nombreux pays, dont la France, mais elle reste courante dans d'autres, comme les États-Unis. L'amputation de la queue, ou caudectomie, est toujours assez répandue, même si elle est interdite en Europe. Le moignon de queue qui subsiste ne restant pas immobile, les vétérinaires

constatent, radiographies à l'appui, que les Boxers de plus de cinq ans produisent une grande quantité d'os pour le protéger.

Ce chiot dégingandé deviendra très vite un athlète gracieux, mais parfois infernal.

Terrier du Yorkshire

Les terriers du Yorkshire de mon enfance étaient très différents de ceux d'aujourd'hui. Les nôtres étaient des fouineurs invétérés, ravageaient tout sur leur passage et ne craignaient pas les confrontations avec les porcs-épics, les putois ou les rats musqués. Depuis les années 1950, la sélection a considérablement réduit la taille de ce terrier et, s'il est toujours intrépide, j'en vois beaucoup qui sont anxieux et qui ont besoin d'être revigorés chaque matin.

Des races pour allergiques :
Caniche nain ou miniature
Terrier du Yorkshire
Chien chinois à crête
Chihuahua
Bichon frisé

CARTE D'IDENTITÉ

Taille :	non précisée
Poids :	moins de 3,2 kg
Espérance de vie :	12,8 ans
Mission originale :	ratier
Pays d'origine :	Royaume-Uni
Couleur :	Bleu acier, fauve doré
Nerveux :	10
Réceptif au dressage :	3-5
Bruyant :	10
Joueur :	8
Dominant :	7

50 cm
25 cm
Chiot — Adulte
0

Le petit chouchou

Le terrier du Yorkshire est originaire d'Écosse, mais il a reçu son nom actuel au moment où les ouvriers écossais des minoteries se sont installés dans le Yorkshire pour y travailler, emportant leurs chiens avec eux. Le Yorkshire illustre parfaitement la façon dont une race peut évoluer en une génération (d'homme) au point de devenir un autre chien. Dans les années 1960, le terrier du Yorkshire a commencé à gagner en popularité. Aujourd'hui, c'est la huitième race la plus aimée en France. C'est le chien de salon le plus apprécié au monde. Sa popularité croissante s'est inévitablement traduite par une reproduction aveugle. Qui plus est, le standard de la race exige désormais une taille maximale très réduite.

Les Yorkshires plus grands, plus posés, ont été éliminés de la reproduction au profit de chiens plus petits, dont la nervosité est devenue une caractéristique.

Une taille variable

La réduction de la taille du Yorkshire est tellement récente qu'il n'est pas rare aujourd'hui encore de voir deux parents petits donner naissance à des chiots devenant deux fois plus grands qu'eux à l'âge adulte. Certains éleveurs se réjouissent de pouvoir perpétuer ces lignées.

CE QU'IL FAUT SAVOIR

Personnalité
Même ceux qui manquent d'assurance face aux personnes ou aux chiens rencontrés hors de chez eux défendent leur territoire en aboyant furieusement pour vous avertir que vous avez de la visite. Compte tenu de sa petite taille, le Yorkshire n'a pas besoin d'un grand espace pour se dépenser.

Santé
La luxation de la rotule est extrêmement fréquente, de même que le collapsus trachéal. Tous les Yorkshires devraient porter des harnais et non un collier et une laisse pour éviter la pression sur la trachée.

Contraintes
L'épaisseur et l'aspect du poil sont variables. Les spécimens d'exposition ont le poil particulièrement long, mais on peut le couper régulièrement chez les autres. Quoi qu'il en soit, un brossage quotidien est indispensable. Les dents doivent être brossées régulièrement pour éviter les gingivites.

Beaucoup de Terriers du Yorkshire deviennent argent et feu en grandissant.

Chihuahua

À une certaine époque, les Chihuahuas étaient tous de petits roquets hyper agressifs. Heureusement, la race n'est plus ce qu'elle était, tout comme le Terrier du Yorkshire – à cette différence près que l'amélioration a été très positive chez le Chihuahua. Les éleveurs de chiens d'exposition préfèrent les individus très petits ; ceux-ci sont bien bâtis, dociles et d'un tempérament calme. Si les Chihuahuas restent difficiles à dresser, ce sont des petits chiens de compagnie parfaitement dignes de confiance.

Napoléons miniatures

Le Chihuahua aboie beaucoup, mais moins que le Yorkshire. Il s'excite facilement, mais moins que le Yorkshire. Il est enjoué, mais moins que le Yorkshire. Il se dresse – au prix de beaucoup d'efforts – à peu près aussi bien que le Yorkshire. Comme chez beaucoup de races de petite taille, on retrouve chez lui le complexe de Napoléon : il manifeste souvent son autorité par des accès d'agressivité envers les autres chiens, les étrangers et même ses maîtres. Les sujets à poil long bénéficient d'une meilleure isolation thermique, mais qu'ils soient à poil long ou à poil court, tous les Chihuahuas souffrent du froid. C'est l'une des rares races – avec le Terrier du Yorkshire et le Boxer – à vraiment avoir besoin d'un petit manteau pour les protéger en cas de températures basses et d'humidité.

Des origines mystérieuses

Le Chihuahua est officiellement originaire du Mexique. Pourtant, il est fort probable que la race telle que nous la connaissons aujourd'hui ait été créée après l'arrivée des Européens dans ce pays par croisement des petites races indigènes avec des races brachycéphales importées d'Europe. L'ancêtre le plus souvent cité est le Techichi, même si sa réputation de chien silencieux n'a pas survécu. Quoi qu'il en soit, les premiers Chihuahuas ont été exportés vers les États-Unis dans les années 1850 depuis l'État du Mexique auquel ils doivent leur nom. Le Chihuahua se satisfait d'une position d'observateur et il se laisse volontiers transporter dans un sac par celui qu'il considère comme son esclave.

CE QU'IL FAUT SAVOIR

Personnalité
Si vous êtes fier de votre intérieur, ce chien vous conviendra parfaitement. Il n'est pas destructeur et l'apprentissage de la propreté se fait facilement. Son endroit préféré ? Le canapé, sur vos genoux.

Santé
La luxation de la rotule est fréquente, de même que les gingivites, mais la principale menace pour le Chihuahua, c'est de se faire marcher dessus car ses os sont fins et très fragiles.

Contraintes
Le poil de la variété à poil long doit être brossé tous les jours. Le Chihuahua se contente d'un espace réduit pour se dépenser. Il préfère observer plutôt que de participer, et il est ravi quand son maître l'emmène avec lui au café du coin.

CARTE D'IDENTITÉ

Taille :	non précisée
Poids :	500 g à 3 kg
Espérance de vie :	13 ans
Mission originale :	agrément
Pays d'origine :	Mexique
Couleur :	toutes les couleurs
Nerveux :	8
Réceptif au dressage :	3-4 (la variété à poil long est plus docile)
Bruyant :	8
Joueur :	3
Dominant :	8

50 cm	
25 cm	
0	Chiot Adulte

Ce chiot n'est guère plus gros qu'un cochon d'Inde, mais il se dresse moins bien qu'un Dogue allemand (voir p. 43).

Carlin

Béatrice, un Carlin noir, est l'une des meilleures assistantes de ma clinique vétérinaire. Elle accompagne tous les jours sa maîtresse, assistante vétérinaire, à son travail et assume véritablement un rôle d'accueil et de modèle. Avec l'exubérance naturelle qui caractérise le Carlin, elle salue les chiens à leur arrivée et distrait ceux qui sont inquiets. Et comme elle mange chez nous, elle nous sert de témoin pour montrer aux maîtres que tous les Carlins ne deviennent pas obligatoirement obèses.

La sélection effectuée au cours du XXᵉ siècle a exagéré l'aplatissement de sa face.

Le poil noir comporte parfois des marques blanches.

Du sang de loup

Pouvez-vous imaginer un instant en regardant ce chien qu'il est génétiquement plus proche du loup que le Berger allemand (voir p. 22-23) ? Les origines du Carlin remontent à l'Antiquité ; sa petite taille et son crâne brachycéphale ont été obtenus par les Chinois il y a plusieurs millénaires. Difficile à dresser, il a été créé pour ne rien faire, simplement pour être là à prodiguer chaleur et amitié. Il n'est pas fait pour les climats chauds.

Un survivant résistant

Ce chien têtu a contre toute attente une espérance de vie supérieure à la moyenne. Il a parfois le nez bouché ; beaucoup de sujets naissent avec les narines tellement petites qu'il faut les opérer pour les agrandir. Il est sujet aux infections chroniques du conduit auditif et sa peau lui retombe sur le nez. Les césariennes sont plus fréquentes que chez les autres races parce que la tête des chiots est trop grosse. Le Carlin paraît vieux dès l'âge de cinq ans, mais sans doute est-ce parce qu'il prend plaisir à se pelotonner pour dormir et, quand il ne dort pas, à manger, qu'il est moins sujet aux maladies mortelles que les autres races.

CE QU'IL FAUT SAVOIR

Personnalité
On est attendri par le caractère indépendant et l'assurance du Carlin. Ce chien a la face la plus expressive qui soit.

Santé
Le Carlin est sujet aux allergies environnementales responsables de dermatite atopique et de sécheresse oculaire. Chez les sujets respirant bruyamment, qui souffrent du syndrome respiratoire obstructif chronique propre aux brachycéphales, une opération destinée à raccourcir le voile du palais s'impose.

Contraintes
Les plis des yeux, des oreilles et du nez doivent être inspectés tous les jours. L'éducation de base est facile. Préparez-vous à passer beaucoup de temps chez le vétérinaire.

CARTE D'IDENTITÉ

Taille :	non précisée par le standard
Poids :	6,5-8 kg
Espérance de vie :	13,3 ans
Mission originale :	agrément
Pays d'origine :	Chine
Couleur :	sable argent, fauve beige, fauve abricot, noire
Nerveux :	5
Réceptif au dressage :	2
Bruyant :	5
Joueur :	6
Dominant :	3

50 cm

25 cm — Adulte
Chiot

0

Terrier de Boston

Moins paresseux que le Carlin, même s'il est capable de battre des records dans la catégorie canapé, le terrier de Boston possède un caractère plus énergique. L'explication réside dans son histoire lointaine. Ses ancêtres étaient des chiens de combat de 20 kg. C'est seulement à la fin du XIXe siècle que la taille de la race a été ramenée à ce qu'elle est aujourd'hui. Ce chien est un compagnon gai et amusant, malgré la propension de certains mâles à retrouver leurs instincts d'origine quand ils se sentent menacés par un autre mâle.

La face est moins aplatie que celle du Carlin.

CARTE D'IDENTITÉ

Taille :	non précisée
Poids :	7-11 kg
Espérance de vie :	12 ans
Mission originale :	agrément
Pays d'origine :	États-Unis
Couleur :	fauve avec marques blanches, noir avec marques blanches
Nerveux :	8
Réceptif au dressage :	5
Bruyant :	8
Joueur :	8
Dominant :	8

50 cm		
25 cm	Chiot	Adulte
0		

Premier chien américain

Étonnamment, peu de races ont été créées en Amérique du Nord. Parmi elles, le terrier de Boston reste favori ; il fait partie du Top 20 des races canines, avec une population aussi importante que celle des Cockers américains (voir p. 25). C'est le chien national des États-Unis. La taille est beaucoup plus variable que celle du Carlin. La plupart de ceux que je vois dans ma clinique vétérinaire pèsent moins de 6 kg, mais les éleveurs continuent à produire volontairement des sujets plus grands.

CE QU'IL FAUT SAVOIR

Personnalité
Ce chien enjoué est un excellent compagnon et un partenaire de jeux idéal pour les enfants. Son côté paresseux en fait un excellent chien d'appartement.

Santé
Comme le Carlin, il peut souffrir de problèmes respiratoires. La dermatite atopique est un peu moins fréquente que chez le Carlin, la sécheresse oculaire l'étant beaucoup moins. Plus de quinze tares congénitales ont été recensées chez ce chien.

Contraintes
Il est indispensable de lui nettoyer la face tous les jours. Il n'a pas besoin de grands espaces pour se dépenser.

Une mutilation inutile

La queue du terrier de Boston n'est pas coupée. Elle est naturellement courte. En revanche, aux États-Unis et ailleurs, les oreilles sont parfois amputées. Pour ma part, je trouve qu'il s'agit là d'une affreuse mutilation. Comme toutes les races brachycéphales, le terrier de Boston est davantage sujet aux crises cardiaques. Les compagnies aériennes devraient refuser de transporter ce chien quand la température au sol dépasse les 27 °C. Leur face est tellement aplatie qu'un gonflement dû à une piqûre de guêpe peut s'avérer fatal ; ayez toujours des antihistaminiques sous la main.

La queue du terrier de Boston est naturellement très courte ou absente.

Teckel

Ce chien sophistiqué, très populaire en ville, se décline en plusieurs tailles et plusieurs types de poils. Aucune race n'est aussi variée. Les tempéraments sont tout aussi divers, certains sujets pouvant être vraiment difficiles. Il y a plusieurs années, un comportementaliste notait que, parmi toutes les races de chiens, le Teckel nain à poil court était l'un de ceux qui était le moins capable de soutenir un regard : il aboie simplement parce qu'on le fixe des yeux.

Contrairement au poil dur qu'il faut longuement brosser et peigner, le poil ras a juste besoin d'être frotté.

Un succès international

Le Teckel est l'une des races les plus populaires dans toute l'Europe et l'Amérique du Nord. Son succès est indéniable en ville. Le Teckel standard est moins courant, bien qu'il soit plus agréable à vivre. Les Teckels miniatures (qui rassemblent le nain et le Kaninchen de la classification FCI) sont les plus nombreux parce qu'ils s'adaptent très bien à la vie urbaine, où ils se contentent d'un petit espace pour se dépenser. La variété à poil ras exige peu d'entretien, celle à poil dur un peu plus ; celle à poil long doit être brossée tous les jours pour éviter la formation de nœuds. Les sujets conformes au standard européen sont plus hauts sur pattes.

Caractère et longueur de poil

La longueur du poil et le caractère sont étroitement liés. Les Teckels à poil dur sont de loin les plus calmes.

Je ne me rappelle pas en avoir vu un seul difficile à vivre. Ceux à poil long ont tendance à être plus timides, et ceux à poil lisse sont les plus nerveux et les plus irritables ; il n'est pas rare de voir des sujets craintifs faisant preuve d'agressivité réactionnelle.

CE QU'IL FAUT SAVOIR

Personnalité
La personnalité du Teckel est extrêmement variable, mais la variété à poil dur est en principe la plus calme.

Santé
La hernie discale, dont les effets vont de la douleur à la paralysie mortelle, est le lot de toutes les races au dos long et aux pattes courtes. Malgré tout, le Teckel miniature vit plus longtemps que les autres petites races, si l'on excepte le Caniche nain (voir p. 44).

Contraintes
L'apprentissage de la propreté et le dressage peuvent prendre énormément de temps, mais ensuite, lui faire faire de l'exercice ne pose aucun problème. Le Teckel est rarement malade, ce qui limite le temps passé chez le vétérinaire.

CARTE D'IDENTITÉ

Taille :	non précisée par le standard
Poids :	
miniature :	moins de 4 kg à 18 mois
standard :	moins de 9 kg
Espérance de vie :	
miniature :	14,4 ans
standard :	12,2 ans
Mission originale :	déterrage
Pays d'origine :	Allemagne
Couleur :	divers
Nerveux :	4-7
Réceptif au dressage :	3
Bruyant :	7
Joueur :	6
Dominant :	4

50 cm

25 cm   Adulte

Chiot

0

Le poil long donne au Teckel un air plus doux.

Schnauzer nain

Je connais deux Schnauzers nains qui sont restés pendant des années sagement assis dans la voiture pendant que le Labrador de la famille passait sa journée à rapporter les oiseaux tirés par son maître et ses amis chasseurs. Un jour, ils sont sortis de la voiture et, sans être éduqués en ce sens, ils se sont joints à la partie de chasse et ont ramené huit faisans morts. Le Schnauzer est certes bruyant, nerveux et joueur, mais il a des qualités trop souvent sous-estimées.

Le poil est tondu sur le corps et la queue. On le laisse long sur les pattes.

Un tempérament variable suivant les régions

À bien des égards, le Schnauzer nain est l'équivalent allemand du West Highland White Terrier (voir p. 30), mais en plus obéissant et sans les problèmes de peau. Sa grande popularité en Amérique du Nord s'est traduite par une sélection sauvage, qui a parfois produit des chiens à la fois bruyants et agressifs. Cela n'a pas été le cas en Europe où, même s'il a conservé en partie les qualités de gardien de son ancêtre le Schnauzer géant, le Schnauzer nain est un excellent chien de compagnie, digne de confiance, d'humeur égale et adorable avec les enfants.

Contre l'amputation

Comme le Caniche (voir p. 44-45), le Schnauzer ne perd pas ses poils mais doit être tondu toutes les six à huit semaines car son poil pousse très vite. L'amputation de la queue est désormais interdite par la loi en Europe. Certains éleveurs américains prétendent quant à eux qu'un vrai Schnauzer nain doit absolument avoir les oreilles coupées ; cette pratique est également en vigueur dans les pays récemment entrés dans l'Union européenne. Aucune de ces amputations n'a le moindre intérêt pour le chien.

CE QU'IL FAUT SAVOIR

Personnalité

Ce chien déborde de vitalité, mais il est beaucoup plus calme que la plupart des terriers de sa taille. Il a constamment besoin de jouer et n'hésite pas à se servir de ses dents et de ses pattes quand il s'ennuie.

Santé

Les éleveurs consciencieux vérifient l'absence de tare oculaire héréditaire chez les deux parents. Les calculs vésicaux sont plus fréquents que la moyenne, de même que les déséquilibres hormonaux touchant la thyroïde ou les glandes surrénales.

Contraintes

Consacrez au moins deux heures par jour aux jeux et aux activités physiques, ou son caractère naturellement joueur s'exprimera d'une façon qui ne vous plaira pas forcément. Il est préférable de le faire tondre par un professionnel.

Les oreilles sont naturellement semi-dressées.

CARTE D'IDENTITÉ

Taille :	30-35 cm
Poids :	4-7 kg
Espérance de vie :	13,2 ans
Mission originale :	ratier
Pays d'origine :	Allemagne
Couleur :	poivre et sel noir, avec marques sable
Nerveux :	10
Réceptif au dressage :	7
Bruyant :	8
Joueur :	9
Dominant :	6

50 cm
25 cm
0
Chiot
Adulte

Braque allemand à poil court

Le Braque allemand à poil court, ou Kurzhaar, est le plus connu des Braques et chiens d'arrêt allemands, ce qui lui vaut d'être simplement désigné sous le nom de Braque allemand. C'est un chien racé et enjoué. Son nom allemand signifie « poil court », ce qui assez évocateur. C'est un vrai chasseur qui fait preuve de nombreuses qualités sur le terrain. C'est aussi un bon chien de garde, mais il n'est pas toujours facile à dresser.

Le Braque allemand est généralement utilisé comme chien de travail.

Polyvalent

Le Braque allemand à poil court est un chien polyvalent, capable de sentir ou de voir le gibier, puis de marquer l'arrêt, c'est-à-dire de lever la patte dans sa direction. Sur ordre du chasseur, il lève le gibier et, une fois qu'il a été tiré, il va le chercher par terre ou dans l'eau et le rapporte. Même si ces compétences sont indéniables dans tous les aspects de son travail, il est moins efficace que d'autres races dans certaines tâches. Par exemple, il ne rapporte pas aussi bien que le Labrador (voir p. 20-21) et le Golden Retriever (voir p. 26). Par conséquent, le Braque allemand ne se dresse pas facilement à obéir.

Un cerveau qui fonctionne bien

Le dressage n'est pas impossible pour autant. Pour preuve, nombre de Braques allemands participent à des épreuves de *field trial*, en Europe ou en Amérique du Nord. Ce chien est par ailleurs très gentil avec les enfants et n'aboie pas plus que les autres chiens d'arrêt. Il a absolument besoin de se dépenser tous les jours. Sinon, il risque d'évacuer son trop-plein d'énergie en se livrant à des activités destructrices.

CE QU'IL FAUT SAVOIR

Personnalité
Le Braque à poil court, aussi placide que joueur, est dépourvu d'agressivité. Un adorable compagnon pour toute la famille. Les femelles sont douces.

Santé
Les bons éleveurs font passer des radios à leurs reproducteurs pour s'assurer qu'ils ne souffrent pas de dysplasie de la hanche. La race est affectée par une forme d'automutilation appelée dermite de léchage des extrémités.

Contraintes
Prévoyez au moins deux heures d'exercice par jour en plein air. Le poil exige peu d'entretien.

Le pelage du Braque allemand à poil court est très facile à entretenir.

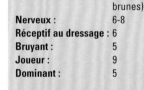

CARTE D'IDENTITÉ

Taille :	60-66 cm
Poids :	25-30 kg
Espérance de vie :	12,3 ans
Mission originale :	arrêt
Pays d'origine :	Allemagne
Couleur :	brun, fauve, noir unis (avec un peu de blanc), rouan sombre avec des plaques ou des mouchetures brunes, blanc (avec plaques ou des mouchetures brunes)
Nerveux :	6-8
Réceptif au dressage :	6
Bruyant :	5
Joueur :	9
Dominant :	5

75 cm	
50 cm	Adulte
25 cm	Chiot
0	

Braque de Weimar

Ce chien magnifique est aussi à l'aise en ville qu'à la campagne. La couleur de ses yeux va de l'ambre au bleu acier en passant par le gris fusil. Sa robe a souvent la teinte des champignons de forêt. Si vous recherchez un chien qui a une présence naturelle, celui-ci est parfait, mais si voulez un grand chien facile à dresser, cet animal gracieux et athlétique n'est pas forcément un bon choix. Il est parfois têtu, avec un besoin constant d'affirmer son autorité, notamment si c'est un mâle.

Les chiots sont souvent confortablement assis sur le côté.

CARTE D'IDENTITÉ

Taille :	57-70 cm
Poids :	25-40 kg
Espérance de vie :	10 ans
Mission originale :	pisteur, rapporteur
Pays d'origine :	Allemagne
Couleur :	beige-gris argenté
Nerveux :	6-8
Réceptif au dressage :	5
Bruyant :	5
Joueur :	6
Dominant :	4-6

Une couleur unique

La popularité de cette race ne cesse de grandir. Le Braque de Weimar est une race très ancienne, puisqu'elle remonte au XVIIe siècle, même si le standard actuel a été fixé il y a cent trente ans seulement. Autrefois un pisteur doublé d'un rapporteur, il est aujourd'hui essentiellement utilisé comme chien d'agrément. Néanmoins, certains individus participent encore à des concours d'obéissance et de *field trial*. C'est le seul grand chien couleur argent ; cette couleur ne se retrouve que chez des races plus petites comme le Whippet (voir p. 53).

Exigeant et têtu

Le Braque de Weimar adore quêter, flairer le sol et pister tout ce qu'il peut trouver (en général les écureuils, les lapins et les renards). Les mâles peuvent être obstinés, ce qui ne facilite pas le dressage. Ils peuvent aussi se montrer très protecteurs à l'égard de leur famille humaine. Les femelles sont toujours plus douces et plus faciles à maîtriser. Tenez-en compte si vous êtes séduit par l'élégance de cette race, mais que vous n'êtes pas très expérimenté.

L'élégant Braque de Weimar à poil long est rare.

CE QU'IL FAUT SAVOIR

Personnalité

Les mâles ne sont pas très démonstratifs, mais ce sont naturellement des gardiens efficaces et rusés. L'éducation est parfois difficile. Dans la mesure où le Braque de Weimar peut être assez têtu, mieux vaut le mettre entre les mains de maîtres expérimentés.

Santé

Le Braque de Weimar a vingt fois plus de chances de souffrir du syndrome de dilatation-torsion de l'estomac. Un quart des chiens touchés en meurt, ce qui explique en grande partie la faible espérance de vie de cette race.

Contraintes

L'entretien se réduit au minimum, mais l'éducation est plus difficile. S'il ne dépense pas son trop-plein d'énergie en faisant au moins deux heures d'exercice par jour, le Braque de Weimar peut devenir extrêmement destructeur.

Rottweiler

Chez le Rottweiler, tout est dans la queue… Celle-ci joue le rôle d'un gouvernail et l'aide à garder son équilibre, surtout quand il court et qu'il va et vient. Elle lui permet aussi d'afficher ses sentiments. Car si certains Rottweilers débordent d'affection et sont très démonstratifs, d'autres se montrent beaucoup plus réservés et il vous faudra décoder les fameux battements de queue pour lire dans leurs pensées.

Cette position, pattes croisées, est typique du chiot.

Des émotions perceptibles

Dans la grande majorité des cas, il n'est pas très difficile de décrypter les sentiments d'un chien avec un peu d'expérience. Cependant, j'avoue que j'ai toujours eu du mal à anticiper le comportement d'un Rottweiler. D'après les éleveurs, il suffit de regarder ses yeux : quand ils se dilatent, son humeur va changer. Soit, mais savez-vous à quelle distance il faut se placer pour voir les yeux sombres du Rottweiler se dilater ?

Il me paraît plus simple d'observer sa queue pour savoir ce qui se passe dans sa tête. Depuis presque vingt ans, on ne coupe plus la queue des Rottweilers dans certains pays d'Europe, mais la pratique persiste dans d'autres pays comme la France ou encore les États-Unis.

Une autorité indispensable

Taciturne et puissant, le Rottweiler a un physique de lutteur. C'est évidemment un chien de garde impressionnant, mais il mérite qu'on ne s'arrête pas à cette impression. Ni particulièrement joueur ni naturellement destructeur, il est assez facile à dresser. Il a besoin de se soumettre à l'autorité naturelle d'un chef à la maison. Celle-ci est même indispensable car le Rottweiler a tendance à vouloir dominer les autres chiens, voire à se battre avec eux. Ce vrai nounours a malheureusement une espérance de vie très courte ; c'est en effet la race qui a le taux de cancer des os le plus élevé.

CE QU'IL FAUT SAVOIR

Personnalité

Il suffit de dresser très tôt ces adorables chiots un peu nerveux pour qu'ils deviennent des compagnons paisibles et silencieux. Les adolescents peuvent être un peu remuants et apprennent à tirer parti de leur poids, mais les adultes font partie des chiens les plus calmes. Le Rottweiler obéit à son maître mais il se méfie parfois des étrangers et des autres chiens.

Santé

La dysplasie de la hanche et du coude est très fréquente. Il n'est

Sa tête est relativement grosse.

pas rare de voir ce chien boiter, même quand il n'est âgé que de quelques années. Cette race souffre aussi d'une affection des paupières (entropion).

Contraintes

Le poil exige peu d'entretien. Le dressage, indispensable dès le plus jeune âge, est facile mais des rappels réguliers sont nécessaires, surtout chez les mâles entiers. Compte tenu de son caractère paisible et calme, il n'a pas besoin de grands espaces pour se dépenser.

CARTE D'IDENTITÉ

Taille :	56-68 cm
Poids :	env. 50 kg
Espérance de vie :	9,8 ans
Mission originale :	chien de troupeau
Pays d'origine :	Allemagne
Couleur :	noir et feu
Nerveux :	1-4
Réceptif au dressage :	6-7
Bruyant :	2
Joueur :	2-5
Dominant :	6

75 cm	Adulte
50 cm	
25 cm	Chiot
0	

Dogue allemand (ou danois)

Ce chien à l'allure noble et imposante est l'autre poids lourd des races les plus populaires. Le Dogue allemand pèse en général le même poids que son maître, mais il est toujours bien moins actif que lui. Malgré son corps massif – il est quatre-vingts fois plus gros que le Chihuahua (voir p. 35) –, il a tendance à se laisser vivre une fois adulte, la vie citadine lui convenant parfaitement, aussi étonnant que cela puisse paraître.

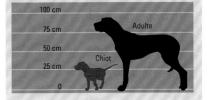

Les Dogues allemands arlequin sont les moins courants.

CE QU'IL FAUT SAVOIR

Personnalité
Les petits Dogues allemands sont curieux et destructeurs. Une fois adulte, ils sont calmes et étonnamment affectueux, tout en s'avérant d'excellents chiens de garde.

Santé
Le Dogue peut être brutalement affecté de cardiomyopathie dilatée. L'instabilité des premières vertèbres cervicales peut provoquer un syndrome de Wobbler. Le syndrome de dilatation-torsion de l'estomac est plus dangereux car il peut entraîner la mort. Autre maladie héréditaire : la dysplasie de la hanche. Comme toutes les races géantes, il a une faible espérance de vie.

Contraintes
Malgré sa taille, s'occuper de lui ne prend pas trop de temps. Son poil est autonettoyant, son dressage assez facile et il se dépense sans excès.

Danois ou allemand ?
D'après les éleveurs, le Dogue allemand descend de l'Alaunt, chien de combat introduit en Europe par les Alains au cours de leurs conquêtes. Des études génétiques montrent que le Dogue allemand actuel a été créé au cours des trois derniers siècles, probablement par croisement des descendants des Alaunts avec des lévriers. La race est originaire de provinces passées tour à tour dans le giron du Danemark et de l'Allemagne. Au XVIIIe siècle, le naturaliste Buffon l'appelait Grand Danois, mais les Français comme les Allemands la nomment aujourd'hui Dogue allemand (son nom officiel).

Taille XXL
Le Dogue allemand grandit plus vite que les autres races. Si leur régime est équilibré, les chiots n'ont pas besoin de compléments de calcium, mais il faut freiner leur ardeur lorsqu'ils se dépensent pour éviter que le cartilage de croissance de leurs os, qui poussent très vite, ne soit endommagé. Les escaliers ne sont pas un problème, mais les courses effrénées ne sont pas conseillées. Le Dogue allemand revient cher en raison des frais de nourriture et de médicaments et des coûts élevés d'une place en chenil.

La noblesse du Dogue adulte contraste avec l'allure dégingandée du chiot.

CARTE D'IDENTITÉ

Taille :	minimum 72 à 80 cm
Poids :	50-70 kg
Espérance de vie :	8,4 ans
Mission originale :	garde
Pays d'origine :	Allemagne
Couleur :	fauve, noir, bringé, arlequin
Nerveux :	2
Réceptif au dressage :	5
Bruyant :	3
Joueur :	3
Dominant :	5

Caniches miniature et nain

Les modes changent et le Caniche n'échappe pas à cette règle. Connaîtrait-il une désaffection en France ce joli chien à la toison abondante et toute bouclée, déjà présent à la cour de Louis XVI ? Pas si sûr, car le Caniche continue d'être apprécié pour ce qu'il est : un chien très docile, extrêmement joueur et qui ne perd pas ses poils. Idéal pour les personnes souffrant d'allergies.

La tonte du Caniche suit les modes.

Un compagnon de tous les instants.

Question de taille

Le petit Caniche – version miniature de l'élégant Caniche de taille standard – à la silhouette profilée et athlétique, existe depuis plusieurs centaines d'années. Depuis le début du XXe siècle, la nomenclature des fédérations du monde entier n'en retient que deux variétés : le Caniche miniature et le Caniche nain. Quel dommage, car il existe une merveilleuse infinité de tailles entre les très petits et les grands minces. À noter cependant que la FCI distingue deux variétés parmi les Caniches plus grands, le grand Caniche et le Caniche moyen (voir ci-contre).

« Chienchien à sa mémère » ?

Les petits Caniches ont commencé à passer de mode quand les médias les ont présentés comme des petits chiens de salon sans défense, sans caractère ni autonomie. Dans la langue courante, ne dit-on pas de quelqu'un sans caractère qu'il est un caniche ? Il est vrai qu'au plus fort de leur popularité, la sélection s'est faite en dépit du bon sens, faisant perdre de son caractère à la race, mais ce n'est plus le cas. Tous les chiots que je vois aujourd'hui ont tout le potentiel pour devenir de merveilleux compagnons. Ils déclenchent moins de réactions que les autres races chez les personnes allergiques parce qu'ils ont peu de problèmes cutanés et qu'ils sont baignés et tondus régulièrement.

CE QU'IL FAUT SAVOIR

Personnalité
Le Caniche miniature est vif, alerte, obéissant, affectueux, jamais dominateur. Le Caniche nain est un peu moins enjoué et a tendance à mordre un peu plus.

Santé
Les deux variétés sont sujettes à la luxation de la rotule. Le miniature souffre parfois d'une maladie héréditaire qui le prédispose à l'insuffisance mitrale. Les gingivites précoces sont très fréquentes. Les petits Caniches ayant globalement une bonne santé, leur espérance de vie est plus longue que celle des autres races.

Contraintes
Leur santé est bonne et leur éducation assez facile. Ils peuvent se dépenser au grand air (et ils adorent ça) dans un espace réduit. Il est préférable de confier le toilettage (toutes les quatre à six semaines) à un professionnel.

CARTE D'IDENTITÉ

Taille :	nain : 28-35 cm miniature : moins de 28 cm
Poids :	non précisé par le standard
Espérance de vie :	nain : 14,4 ans miniature : 14,8 ans
Mission originale :	agrément
Pays d'origine :	France
Couleur :	noir, blanc, marron, gris, abricot
Nerveux :	nain 8, miniature 7
Réceptif au dressage :	nain 7, miniature 9
Bruyant :	nain 9, miniature 8
Joueur :	nain 7, miniature 8
Dominant :	5, miniature 4

Caniche moyen

Un animal de bon caractère, calme, très docile et travailleur. Si on ne le tond pas, son poil continue à pousser ; il finit par former des cordes et sentir mauvais, ce qui augmente le risque d'affection cutanée. Tondu simplement comme un mouton, le Caniche conserve sa dignité tout en étant élégant.

CARTE D'IDENTITÉ

Taille :	35-45 cm
Poids :	non précisé
Espérance de vie :	12 ans
Mission originale :	chien d'eau
Pays d'origine :	Allemagne/France
Couleur :	toutes couleurs
Nerveux :	5
Réceptif au dressage :	9
Bruyant :	5
Joueur :	9
Dominant :	2

50 cm
25 cm
Adulte
Chiot
0

Des origines de travailleur

Contrairement à l'image que certains toiletteurs veulent en donner avec des coupes ridicules, cette race n'a rien de frivole. La tonte en lion – pattes tondues, avec des pompons au bout des pattes, sur la queue et sur les hanches – remonte à ses origines de barbet, destiné à rapporter le gibier tombé dans l'eau. Les premiers Caniches (Pudeln) ont sans douté été créés en Allemagne. En France, ils ont d'abord été baptisés canichons, mot qui désignait au départ les petits canards qu'ils chassaient. Son poil très isolant ne doit pas être tondu trop court l'hiver dans les régions où il fait froid.

Vers des races nouvelles

Tous les Caniches, surtout le moyen, sont très dociles et font partie des races les plus faciles à dresser. Ils aiment les jeux interactifs, mais ils se distinguent de leurs petits cousins par un caractère moins nerveux, plus paisible et, curieusement, par un besoin moins marqué d'essayer de bousculer leur maître. Ce mélange de qualités est tellement intéressant que les Caniches sont à la base de la création de nouvelles races (pas toujours reconnues), comme le Labradoodle et le Goldendoodle (Caniche moyen) ou le Cockapoo et le Pekepoo (Caniches miniature et nain).

CE QU'IL FAUT SAVOIR

Personnalité

Même s'il n'est absolument pas agressif – il l'est moins que la plupart des races de sa taille –, le Caniche moyen est curieusement un bon chien de garde. Modéré dans ses réactions, il n'est ni destructeur ni exagérément joueur.

Santé

L'adénite sébacée, maladie congénitale, est à l'origine de dermatoses chroniques. La poitrine très profonde du Caniche moyen le prédispose encore plus que les autres races au syndrome de dilatation-torsion de l'estomac.

Contraintes

Le Caniche moyen, facile et agréable à dresser, a besoin de se dépenser avec énergie. Le toilettage prend beaucoup de temps si vous le faites vous-même. Il est préférable de le faire tondre une fois par mois par un professionnel.

Le poil de ce Caniche est tondu de façon uniforme, comme un mouton, toutes les six semaines. La face est rasée.

Lhassa Apso

Venu de Lhassa, capitale du Tibet, ce chien dont le nom *apso* signifie « chèvre », vous rappellera sûrement le personnage de Pollux dans *Le Manège enchanté*. Difficile de distinguer, rien qu'en les regardant, un grand Shih Tzu d'un petit Lhassa Apso. Pourtant, en communiquant avec eux, la différence est plus évidente : le Lhassa Apso est souvent plus réservé face aux étrangers.

Les chiens d'exposition ont les poils qui retombent sur les yeux.

Excellents gardiens

Certains ancêtres du Lhassa Apso et du Shih Tzu étaient des chiens de compagnie et de garde élevés par les moines bouddhistes au Tibet et au Bhoutan, pays voisin. Le nom tibétain des chiens de cette famille est Apso Seng Kyi, qui signifie approximativement « chien-lion de garde qui aboie ». Le Lhassa aboie, c'est certain, et beaucoup plus que le Shih Tzu. Il est aussi plus dominateur à l'égard de ses maîtres et peut être têtu quand on essaie de le dresser. Le poil est abondant et dense, ce qui est idéal pour isoler le corps l'hiver, mais il est difficile à garder propre et net, surtout quand le chien fait comprendre à son maître que le toilettage ne fait pas partie de ses priorités.

Sain et endurant

Le Lhassa, comme le Shih Tzu, a peu de problèmes de santé et son espérance de vie est plus élevée que la moyenne. D'après les éleveurs, il est préférable de ne pas toucher au poil fin des chiots et d'attendre que la robe d'adulte ait complètement poussé pour la couper, c'est-à-dire vers neuf mois en général.

CARTE D'IDENTITÉ

Taille :	25,5 cm
Poids :	4-7 kg
Espérance de vie :	13,4 ans
Mission originale :	surveillance
Pays d'origine :	Tibet
Couleur :	de préférence unicolore, particolore
Nerveux :	7
Réceptif au dressage :	3-4
Bruyant :	8
Joueur :	4
Dominant :	8

50 cm
25 cm — Adulte
Chiot
0

CE QU'IL FAUT SAVOIR

Personnalité

Même si, comme le Shih Tzu, le Lhassa est toujours en demande d'affection, il aboie plus que lui. Certains sont assez dominateurs et se servent de leur joli minois pour parvenir à leurs fins.

Santé

La sécheresse oculaire (*keratoconjunctivis sicca*) est plus fréquente que chez le Shih Tzu, mais à part ce problème, on lui connaît peu d'affections héréditaires.

Contraintes

Le toilettage et le dressage prennent beaucoup de temps. Quand il fait chaud, on coupe souvent les poils du ventre des Lhassa Apso pour les rafraîchir. Tous ont besoin de se dépenser, mais ils peuvent se satisfaire d'un petit espace en plein air.

Comme le Shih Tzu et les autres races à poil long, le Lhassa a absolument besoin d'avoir les yeux dégagés : il verra mieux et n'aura pas peur quand quelqu'un l'approchera alors qu'il ne s'y attend pas.

Shih Tzu

Ce joli petit chien de ville est heureux quand il peut trottiner dans la boue du parc, mais il l'est encore plus quand il peut se blottir sur un canapé. Si certains de ses ancêtres proviennent vraisemblablement du Tibet, le Shih Tzu d'aujourd'hui a été créé à la fin du XIXᵉ siècle dans les chenils de Tz'u-Hsi, impératrice douairière de Chine. Il s'est développé en France dans les années 1970.

CARTE D'IDENTITÉ	
Taille :	moins de 26,5 cm
Poids :	4,5-8 kg
Espérance de vie :	13,4 ans
Mission originale :	surveillance
Pays d'origine :	Tibet
Couleur :	toutes couleurs
Nerveux :	9
Réceptif au dressage :	6
Bruyant :	6
Joueur :	7
Dominant :	4

50 cm
25 cm
0
Chiot   Adulte

Pour permettre au chien de mieux voir, il suffit de lui faire une queue avec les poils de la face.

CE QU'IL FAUT SAVOIR

Personnalité
Le Shih Tzu adore se lover sur les genoux de son maître et recherche l'affection. C'est donc un chien idéal pour les familles avec enfants. Il est joueur mais calme et ne fait preuve d'aucune agressivité, contrairement à certaines races de cette taille. Il n'est pas non plus destructeur.

Santé
Les deux maladies héréditaires les plus courantes sont dues à son anatomie. Il s'agit des kératopathies (blessures aux yeux) et des problèmes cardiaques et respiratoires (syndrome brachycéphale). Certaines lignées souffrent de cataracte.

Contraintes
Le toilettage quotidien indispensable exige du temps et de la patience.

Une constellation de races
Les petites races du genre du Shih Tzu tel que nous le connaissons aujourd'hui sont arrivées en Europe au début du XXᵉ siècle. Certains chiens ont alors été sélectionnés pour leur petite taille et leur caractère sociable, d'autres, un peu plus grands, pour leur tempérament plus réservé. Les premiers sont devenus les Shih Tzu actuels, les autres les Lhassa Apso. Le terrier tibétain, moins connu, constitue la troisième branche de cette famille. Parmi les Shih Tzu, certains ont une face aplatie (brachycéphale) qui rappelle beaucoup le Pékinois, mais le Shih Tzu est en général plus facile à dresser que ce dernier.

Des yeux magnifiques mais fragiles
Le poil dense, épais et long exige beaucoup de soins si l'on veut éviter qu'il fasse des nœuds et se feutre. On peut rassembler les poils de la face en une queue de cheval sur le haut de la tête pour que le chien voie mieux, mais je préfère la coupe au niveau des sourcils pour dégager ses yeux merveilleusement lumineux et expressifs. Car si vous ne les distinguez pas correctement, lui non plus ne pourra pas bien vous voir.

Ces yeux proéminents, comme ceux du Pékinois, sont plutôt moins sensibles au toucher que ceux des autres races. Toutefois, les blessures aux yeux sont assez courantes, surtout chez ceux qui ont la face aplatie.

Il a beau ressembler à une adorable peluche, ce chien n'est pas un jouet.

Spitz nain

Même s'il a tout d'une houppette douce et chaude, le Spitz nain est un chien exubérant, au caractère bien trempé. C'est l'une des plus petites races de chiens, mais il a hérité du tempérament affirmé et dominateur du Grand Spitz, à partir duquel il a été créé il y a plus d'un siècle. C'est la reine Victoria qui l'a popularisé dans les pays anglo-saxons, mais à l'époque il était plus grand et portait le nom de Loulou de Poméranie.

Pareil à un renardeau, mais plus facile à dresser.

Originaire du Grand Nord

Il y a plus de six cents ans, les Vikings, accompagnés de chiens dotés de petites oreilles et d'un pelage dense, se sont introduits jusqu'au cœur de l'Europe.

CE QU'IL FAUT SAVOIR

Personnalité

Leurs maîtres considèrent que ce sont de petits êtres fragiles. Petits, oui. Fragiles, certainement pas. Le Spitz veut être le chef et, en général, son maître accepte qu'il le soit. Mais il peut aussi être loyal et affectueux.

Santé

La mauvaise haleine, due à l'inflammation des gencives et l'accumulation de tartre sur les dents, est très fréquente. Il faut soit lui brosser les dents tous les jours, soit, dès le plus jeune âge, lui donner des os à ronger ou de la gomme à mâcher.

Contraintes

Le Spitz perd beaucoup de poils et l'entretien du pelage exige du temps. Le poil long et plat doit être brossé et peigné tous les jours, surtout la queue en panache enroulée sur le dos et le sous-poil dense.

Le plus grand de ces chiens, le Grand Spitz, fut ensuite utilisé pour garder le bétail dans l'actuelle Allemagne, tandis que les plus petits (le moyen et le petit) devinrent des animaux de compagnie. Ces trois races sont aujourd'hui sur le déclin (en Allemagne et ailleurs), mais la version miniature qui portait à l'origine le nom d'un ancien état allemand (la Poméranie) a de plus en plus de succès en Europe, en Amérique du Nord et au Japon, derrière le terrier du Yorskhire (voir p. 34) et le Chihuahua (voir p. 35), autres « micro-chiens ».

Petite brute ou pas ?

Le Spitz nain a la réputation de mordre et d'aboyer facilement. Néanmoins, lorsqu'on le dresse correctement dès sa plus tendre enfance au lieu de le considérer comme une petite boule de fourrure fragile, et qu'on lui apprend à obéir dès qu'il entre dans la famille, non seulement il mord moins facilement mais il peut être extrêmement réceptif à toute forme de dressage, notamment l'*agility*. En revanche, je n'ai aucune solution à vous proposer pour empêcher ce chien de suivre son penchant naturel et d'aboyer. Le Spitz nain aboie non seulement à cause de ses origines de chien de garde, mais aussi pour attirer l'attention. Ou parce qu'il apprécie le son de sa propre voix.

Chiens d'appartement :

Greyhound (sérieusement !)
Petit lévrier italien
Bouledogue français
Basset Hound
Affenpinscher
Terrier de Boston
Teckel
Spitz nain
Bulldog

CARTE D'IDENTITÉ

Taille :	18-28 cm
Poids :	moins de 3,5 kg
Espérance de vie :	13 ans
Mission originale :	agrément
Pays d'origine :	Allemagne
Couleur :	blanc, noir, marron, fauve orangé, gris charbonné
Nerveux :	8
Réceptif au dressage :	5
Bruyant :	8
Joueur :	5
Dominant :	6

Bichon maltais

De tous les petits chiens, le Bichon maltais est le plus discret. Il surprend par son caractère facile. Issu d'une race maltaise ancienne appelée Melita, il est sans doute arrivé sur cette île par le biais des navires marchands en provenance d'Extrême-Orient. Le Bichon maltais est le fruit d'une sélection qui s'est faite au cours des deux derniers siècles, vraisemblablement à partir du Melita mais aussi du Caniche miniature et de spaniels.

Les oreilles sont semi-repliées.

CARTE D'IDENTITÉ	
Taille :	20-25 cm
Poids :	3-4 kg
Espérance de vie :	13,3 ans
Mission originale :	agrément
Pays d'origine :	Malte
Couleur :	blanc ou ivoire
Nerveux :	8
Réceptif au dressage :	6
Bruyant :	8
Joueur :	5-7
Dominant :	3

```
            50 cm
        25 cm                    Adulte
                          Chiot
            0
```

Un spaniel blanc

Beaucoup de petits chiens sont dominateurs, agressifs et nerveux, mais le Bichon maltais fait exception à la règle. Il a plus un caractère de spaniel que de terrier. La plupart de ceux que je connais ont une vie assez sédentaire, mais si on lui en donne l'occasion, le Bichon maltais apprécie les activités physiques normales chez un chien. Il aime qu'on s'occupe de lui et surtout que ses maîtres lui témoignent leur affection.

Docile et facile à dresser

Comme tous les petits mâles (le pire restant le terrier du Yorkshire), il ne peut pas s'empêcher de lever la patte pour laisser quelques gouttes d'urine un peu partout, sur n'importe quelle surface verticale. Son long poil soyeux doit être brossé tous les jours, mais il le supporte mieux que beaucoup de petites races. Comme toutes les races à poil blanc, il semble avoir une légère prédisposition aux dermatites allergiques. Il convient parfaitement à ceux qui veulent un petit chien dépourvu de la nervosité qui va souvent de pair avec cette taille.

CE QU'IL FAUT SAVOIR

Personnalité
Le Bichon maltais est le moins agressif de toutes les petites races en vogue. Il est facile à dresser et pas du tout destructeur : un bon mélange pour un maître néophyte.

Santé
Les gingivites sont très fréquentes. Certaines lignées souffrent également d'une maladie du foie congénitale douloureuse, appelée shunt portosystémique extra-hépatique.

Contraintes
Le Bichon maltais doit être brossé et peigné tous les jours mais l'opération dure moins longtemps que chez le Spitz nain. Comptez autant de temps pour l'hygiène buccale.

Le poil des chiens d'exposition est long, mais les autres ont le plus souvent le poil coupé.

Beagle

En activité, le Beagle agite sa longue queue pour exprimer sa joie.

S'il existait des jeux Olympiques pour chiens, le Beagle remporterait sûrement plusieurs médailles d'or : c'est le chien le plus tolérant, le plus bruyant, celui qui a le plus de mal à apprendre la propreté, et le plus sourd aux ordres. Cette race est une curieuse association du meilleur et du pire. La variété américaine (photos), invariablement dans le peloton des cinq races les plus populaires en Amérique du Nord, est beaucoup plus petite que celle que l'on voit en France.

Un nez subtil

Le Beagle est doté d'un flair extraordinaire. Il n'est pas impossible à dresser, même si certains sujets exigent plus de persévérance que d'autres races.

Ce qu'il faut savoir

Personnalité

C'est grâce à l'effet « Snoopy » que le Beagle est l'une des races qui intimident le moins les gens qui ont peur des chiens. C'est véritablement l'une des moins dangereuses.

Santé

Le Beagle souffre de presque vingt affections héréditaires, la plus fréquente étant la sténose pulmonaire, un problème respiratoire. Chez le Beagle épileptique, les anticonvulsifs sont malheureusement peu efficaces.

Contraintes

Le Beagle aime bien que son maître se dépense en même temps que lui, mais pas en jouant avec lui : il doit l'emmener jusqu'au parc, pour ensuite lui courir après ou le chercher car il a vite fait de prendre la poudre d'escampette. Il exige en revanche peu d'entretien.

La preuve : les services des douanes australiens et américains se sont adjoint les services de « Beagle Brigades ». L'absence de pigmentation sur la truffe est normale.

Sachez le dresser

Le caractère sociable et patient du Beagle est la conséquence logique de ses origines. Il descend probablement de races de petite vénerie créées pour la chasse à courre. L'habitude de vivre en meute l'a rendu très patient, aussi bien dans ses relations avec les enfants qu'avec les autres chiens. Il sait se défendre en cas de besoin, mais il recherche moins l'affrontement que la plupart des autres races. Les éleveurs le qualifient souvent de joyeux. On pourrait aussi dire que c'est un sacré chanteur. Son beuglement est très caractéristique ; quand on le laisse seul, il en fait usage aussi bien pour la mélodie que pour faire comprendre qu'il aimerait bien qu'on s'occupe de lui. Et quand il commence, il ne s'arrête plus !

Le Beagle est sociable et patient.

Carte d'identité

Taille :	33-40 cm
Poids :	env. 17 kg
Espérance de vie :	13,3 ans
Mission originale :	chien courant
Pays d'origine :	Royaume-Uni
Couleur :	bicolore ou tricolore
Nerveux :	8
Réceptif au dressage :	3
Bruyant :	10
Joueur :	6-8
Dominant :	3

Bulldog

Il y a peu de temps encore, le Bulldog était une véritable catastrophe sur le plan médical. Le standard de la race exigeait des caractéristiques extrêmes, par exemple la tête la plus grosse possible, ce qui donnait des chiens aux membres extrêmement arqués, souffrant d'une infection chronique des plis de la peau et de difficultés respiratoires, qui devaient la plupart du temps être mis au monde par césarienne, avec une espérance de vie très courte. Heureusement, le standard de la race a évolué.

Un symbole

Il renifle, il respire fort, il pète et quand il bave, tout le monde se sauve, amoureux des chiens compris. Cela ne l'empêche pas de rester populaire. Doit-on attribuer son succès à la singulière ressemblance de ce chien à un gladiateur belliqueux ? Le Bulldog a l'air d'un dur, mais ce n'en est pas un. Peu de chiens sont aussi réservés et aussi peu agressifs que lui.

Une santé moins fragile

Presque tous les Bulldogs que j'ai connus ont passé leur vie à essayer de survivre ! Compte tenu des nombreux problèmes respiratoires, cardiaques et locomoteurs dont ils souffraient, il ne leur restait pas beaucoup d'énergie pour mener une vie normale de chien, c'est-à-dire pour courir

Un chiot tout plissé, prêt à grandir.

Les plis exagérés de la peau provoquent des irritations cutanées.

après les autres chiens, être attentifs aux leçons de dressage ou encore jouer avec les membres de leur famille ou leurs congénères. Aujourd'hui, je constate un changement. Les éleveurs ont cherché à retrouver le Bulldog tel qu'il était il y a cent ans (pattes plus droites, tête plus petite, cou apparent) et un nouveau chien est né. Il a moins de problèmes de santé, son espérance de vie s'est accrue et il est plus actif et réactif que le Bulldog d'hier. Comme s'il avait subi une greffe de personnalité.

CARTE D'IDENTITÉ

Taille :	env. 30-40 cm
Poids :	23-25 kg
Espérance de vie :	6,7 ans
Mission originale :	combat contre des taureaux
Pays d'origine :	Royaume-Uni
Couleur :	fauve, pie ou blanche
Nerveux :	3
Réceptif au dressage :	3-5
Bruyant :	3
Joueur :	1-3
Dominant :	3

50 cm

25 cm   Adulte

Chiot

0

CE QU'IL FAUT SAVOIR

Personnalité

Le Bulldog n'est pas très expressif. Toutefois, si son instinct de prédateur est stimulé, il devient infernal. Il n'est pas particulièrement joueur ni exigeant. Le dressage exige de la persévérance mais il ne dépense pas son trop-plein d'énergie en étant destructeur. Il se contente de rester couché, à ronfler.

Santé

Problèmes respiratoires et cardiaques ; sécheresse oculaire ; prolapsus de la glande nictitante ; entropion ou ectropion ; surdité ; dysplasie de la hanche ; maladies de la face, des membres, de la queue… Souscrivez une assurance-santé.

Contraintes

Prévoyez du temps pour les soins réguliers que sa peau exige. Préparez-vous à fréquenter souvent le cabinet du vétérinaire.

Doberman

Si le Doberman pouvait embaucher des professionnels des relations publiques, il arriverait sans doute à effacer l'image négative qu'il véhicule. Car contrairement à ce qu'on peut lire partout, ce n'est pas un démon. Oui, il défend instinctivement son territoire et donne volontiers de la voix pour s'affirmer. Oui, il est naturellement agressif avec les autres chiens. Mais c'est aussi un chien facile à éduquer et en qui sa famille peut avoir confiance.

Quand on lui laisse ses oreilles, le Doberman donne une autre image de lui-même.

Nombreux croisements

Aujourd'hui, les sociétés canines ne voient pas forcément avec bienveillance la création de nouvelles races hybrides comme le Labradoodle, mélange de Labrador (voir p. 20-21) et de Caniche moyen (voir p. 45). C'est pourtant exactement ce que fit Ludwig Dobermann, percepteur allemand, quand il croisa des Rottweilers (voir p. 42), des Braques de Weimar (voir p. 41) et des Pinschers moyens, avec un zeste de Terrier de Manchester et de Greyhound, donnant naissance à un chien étonnamment affectueux et loyal, mais qui peut être extrêmement destructeur. S'il s'ennuie, il peut ravager une maison en une journée.

Une popularité en dents de scie

La popularité du Doberman est en baisse pour deux raisons. Il a tout d'abord été catalogué comme chien dangereux. Si le mâle s'en prend volontiers aux autres chiens, ce n'est pas le cas de la femelle. Comme c'est un chien facile à éduquer, certains maîtres le dressent pour s'attaquer aux hommes, mais cette agressivité n'est pas naturelle. Qui plus est, il avait autrefois les oreilles et la queue coupées (pratique encore en vigueur dans certains pays ; la France autorise la caudectomie), ce qui lui donnait un air menaçant et contribuait à sa mauvaise réputation. Seconde raison : une mauvaise sélection a permis à des chiens nerveux de transmettre leurs gènes, ce qui a donné des sujets qui mordent dès qu'ils ont peur. On peut espérer que la baisse de popularité qu'il connaît actuellement va favoriser une meilleure sélection, opérée par des gens soucieux de préserver ce que le Doberman a de meilleur.

CE QU'IL FAUT SAVOIR

Personnalité
Quand on laisse ses oreilles naturellement tombantes et sa longue queue fine qui ne tient pas en place, le Doberman peut affirmer sa véritable personnalité. Il adore la vie de famille.

Santé
La myocardiopathie dilatée est une maladie cardiaque assez courante, ce qui explique la faible espérance de vie de la race. Autres affections génétiques : instabilité des vertèbres cervicales (syndrome de Wobbler), maladie discale, maladie de von Willebrand (défaut de coagulation).

Contraintes
Le poil exige peu d'entretien. Le Doberman est facile à dresser mais il a besoin d'une activité physique et mentale importante : deux heures par jour au strict minimum.

CARTE D'IDENTITÉ

Taille :	63-72 cm
Poids :	32-45 kg
Espérance de vie :	9,8 ans
Mission originale :	chien de garde
Pays d'origine :	Allemagne
Couleur :	noire, marron foncé, gris-bleu (toujours avec des marques feu)
Nerveux :	3-5
Réceptif au dressage :	9
Bruyant :	3
Joueur :	5-7
Dominant :	9

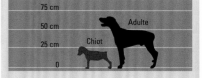

Whippet

L'allure féminine du Whippet – c'est un peu la poupée Barbie du monde canin – déconcerte. Car sous ce corps élancé se cache deux personnalités totalement différentes. À l'intérieur, ce chien se vautre avec délices sur les canapés. À l'extérieur, il se transforme en Dracula, poursuivant inlassablement les petits rongeurs et les lapins. Un exercice qui a de quoi le faire remonter dans l'estime des hommes.

Races pour esthètes :
Caniches miniature et nain
Teckel nain
Petit lévrier italien
Bedlington
Terrier du Yorkshire
Bichon frisé
Chihuahua
Whippet
Épagneul papillon

CARTE D'IDENTITÉ

Taille :	44-51 cm
Poids :	env. 10 kg
Espérance de vie :	14,3 ans
Mission originale :	chasse au lapin
Pays d'origine :	Royaume-Uni
Couleur :	toute couleur
Nerveux :	6
Réceptif au dressage :	6
Bruyant :	3
Joueur :	5-8
Dominant :	1

75 cm
50 cm
25 cm
0
Adulte
Chiot

Un compagnon calme et détendu

Le Whippet est issu d'un croisement de plusieurs races, en l'occurrence de petits Greyhounds et de terriers (parmi lesquels le Bedlington, dont l'espérance de vie et les origines sont similaires et qui ressemble à un Whippet bouclé). C'est un merveilleux compagnon pour les enfants, mais ses membres frêles se cassent facilement. En principe, il n'est pas agressif vis-à-vis des humains, même si, comme tous les chiens, il mord quand on le provoque.

CE QU'IL FAUT SAVOIR

Personnalité
Le Whippet est calme, docile et affectueux. Ses oreilles mobiles, la position de ses lèvres et son regard expriment parfaitement ses émotions.

Santé
En principe, une visite de routine par an chez le vétérinaire suffit. Le Whippet ne souffre pas de grave affection congénitale, mais sa peau fine peut se déchirer et ses os longs et frêles se fracturer.

Contraintes
Le Whippet exige très peu d'entretien. Il se dresse assez facilement et n'a pas énormément besoin d'exercice. Dès qu'il s'est bien dépensé, il brûle de revenir sur le canapé.

Une bouillotte vivante
Si certaines races ont une tendance à l'embonpoint, ce n'est absolument pas son cas. Il stocke très peu de graisse et sa peau est fine. Son poil délicat et l'absence de sous-poil isolant le rendent sensible au froid. Il se blottit alors contre son maître pour chercher la chaleur, quand il ne se glisse pas sous ses couvertures la nuit. Beaucoup de gens prennent ce comportement pour de l'affection. Il fait partie des rares races qui ont réellement besoin d'un manteau pour sortir quand il fait froid ou mauvais.

Au repos, les oreilles s'aplatissent et la queue rentre sous le ventre.

Border Collie

La gentillesse se lit dans les yeux de ce chien âgé de dix semaines.

Obsessif ? Compulsif ? Dérangé ? Le Border Collie est capable de réussir n'importe quel test d'intelligence canine, mais il vit en permanence sous tension. C'est chez lui que les vétérinaires comportementalistes observent le plus de problèmes de comportement (certains poursuivent inlassablement l'ombre des avions ou courent après leur queue). Pour ne pas devenir fou, il a besoin d'action, mais les chiens de ville n'ont souvent pas grand-chose à faire.

Le plus doué

Les chiffres ne reflètent pas la popularité de ce chien qui ne manque pas de détermination. À la campagne, c'est l'un des chiens les plus répandus, où il a sa place aussi bien dans les fermes comme gardien de bétail que dans le monde non agricole.

À l'écoute, le Border Collie penche la tête avec un air interrogateur.

CARTE D'IDENTITÉ

Taille :	env. 50-53 cm
Poids :	15-20 kg
Espérance de vie :	13 ans
Mission originale :	chien de troupeau
Pays d'origine :	Royaume-Uni
Couleur :	toutes couleurs admises, sans marques blanches dominantes
Nerveux :	8
Réceptif au dressage :	10
Bruyant :	3
Joueur :	7
Dominant :	5-7

75 cm	
50 cm	Adulte
25 cm	Chiot
0	

C'est le meilleur chien de recherche et de secours, le meilleur dans les concours d'*agility* et d'obéissance ou dans les épreuves sportives. Il est tellement bon que les concours prévoient parfois une catégorie spéciale ouverte aux seuls Border Collies.

Un chien difficile

Cela ne signifie pas que le Border est un bon chien de compagnie. Les éleveurs ont beau sélectionner les sujets qui ont le moins besoin d'activité et qui sont physiquement les plus conformes au standard, le Border reste un chien très demandeur, qui a énormément besoin d'exercice et de stimulation intellectuelle. Si on ne lui donne pas l'occasion de dépenser son énergie débordante, il s'invente ses propres jeux, comme courir après les joggers et les cyclistes ou rameuter les autres chiens. Les gens sont souvent surpris par ses exigences et les Border sont nombreux à attendre un nouveau maître dans les refuges pour animaux.

CE QU'IL FAUT SAVOIR

Personnalité

Le Border est facile à dresser, mais il n'est pas forcément fiable. Il a tendance à être craintif et à mordre de façon préventive pour se défendre. La vigilance s'impose quand il y a des enfants à la maison. Les chiots ont déjà un instinct de gardien marqué.

Santé

Outre les nombreuses affections oculaires regroupées sous le nom d'anomalie de l'œil de Colley, le Border Collie a une prédisposition génétique à la dysplasie de la hanche. Compte tenu de son activité physique débordante, le risque de blessure est plus élevé que la moyenne.

Contraintes

Perte de poils abondante. Les Border à poil long doivent être brossés et peignés tous les jours. Le dressage est facile, quel que soit le type d'exercice. Prévoyez du temps pour discuter des problèmes de comportement avec des éducateurs canins.

Berger australien

Pour comprendre la personnalité de ce chien extraordinaire, imaginez un Labrador (voir p. 20-21) avec un QI exceptionnel. Le Berger australien est de plus en plus populaire en Amérique du Nord et se fait petit à petit connaître en Europe depuis qu'il a remporté le Crufts Dog Show en 2006. Illustration parfaite du chien de travail transformé en un compagnon agréable à vivre, qui se considère comme un membre à part entière de la famille, il s'est ouvert la voie du succès.

Idéal pour les néophytes

Créé en Californie il y a une centaine d'années à partir de Colleys et de chiens de berger importés d'Australie et de Nouvelle-Zélande, ce chien est un peu comme les Californiens : calme, réservé et nonchalant. Cette race se décline dans une large variété de tailles ; les amateurs de grands ou, au contraire, de petits chiens trouveront leur bonheur. Même s'il reste un bon chien de troupeau et qu'il se comporte comme un champion dans les concours d'*agility* et d'obéissance, c'est en tant que compagnon qu'il remporte de plus en plus de succès.

Joueur et facile à dresser

Être un super-chien ne l'intéresse pas. Il a plutôt moins tendance que les autres races à mordre (ce qui ne l'empêche pas d'être un chien de garde vigilant) et il adore être avec les enfants. Ce merveilleux compagnon peut être classé dans la même catégorie que le Golden Retriever (voir p. 26), le Cavalier King Charles (voir p. 28) et le Berger des Shetland (voir p. 29). La tendance actuelle de certains éleveurs à produire des sujets de petite taille risque d'accroître la nervosité de ce chien.

Le Berger australien a le même regard expressif que le Border Collie.

CE QU'IL FAUT SAVOIR

Personnalité
Le Berger australien est un joyeux luron qui, comme les enfants, a envie de jouer et de bouger. Facile à éduquer, il est peu agressif, peu destructeur et évite les risques inconsidérés.

Santé
La dysplasie de la hanche est la seule affection héréditaire fréquente. Les robes merle (comme dans toutes les races) peuvent être atteintes de surdité.

Contraintes
Le poil dense se renouvelle souvent et doit faire l'objet de soins quotidiens. L'éducation est généralement rapide et facile, mais ce chien apprécie l'exercice (jeux, *agility*, etc.).

CARTE D'IDENTITÉ

Taille :	46-58 cm
Poids :	20-25 kg
Espérance de vie :	13 ans
Mission originale :	chien de troupeau
Pays d'origine :	États-Unis
Couleur :	noire ou marron, souvent bleu merle ou marron merle
Nerveux :	7-9
Réceptif au dressage :	10
Bruyant :	4
Joueur :	8
Dominant :	2-4

Husky sibérien

Il suffit d'observer les yeux bleu clair d'un Husky pour savoir ce que ce chien vif et attentif pense. Son allure est altière, presque arrogante, mais il est victime d'une mode qui va contre la nature. Ce n'est pas un chien de ville. Il a besoin d'être dehors, à la campagne, et plus particulièrement dans une région froide, prêt à accomplir des tâches lourdes.

Le Husky adulte garde ses yeux bleus de chiot.

L'endurance de cet athlète est phénoménale.

Besoin d'action

Pendant des siècles, les populations autochtones du Grand Nord ont survécu à la rigueur du climat grâce à leurs chiens. Les Huskies, chiens de traîneau d'Alaska, du Canada et du Groenland, étaient toujours de grands chiens, mais ceux des Tchouktches, une peuplade sibérienne, étaient plus petits et plus légers. Il y a cent ans, des marchands de fourrure les ont introduits en Alaska, où ils se sont révélés excellents dans les courses de traîneaux. En cinquante ans, leur popularité n'a cessé de grandir en Amérique du Nord, avant de s'étendre à l'Europe et au Japon.

Une race primitive

Les généticiens estiment que cette race est extrêmement ancienne. À l'instar de toutes les races anciennes, comme le Chow-Chow et l'Akita, le Husky sibérien est d'une nature assez distante et manifeste rarement ses émotions. Son caractère indépendant exige qu'il soit éduqué par quelqu'un d'expérimenté. Il apprécie tant les sports extrêmes qu'il est le compagnon idéal des amateurs de courses de loisirs en traîneau à chien. Et sa petite taille facilite cette tâche. Il est encore meilleur en skijöring ou en pulka (équipé d'un harnais pour tirer un skieur).

CARTE D'IDENTITÉ

Taille :	51-60 cm
Poids :	15-28 kg
Espérance de vie :	13 ans
Mission originale :	chien de traîneau
Pays d'origine :	Russie
Couleur :	toutes couleurs
Nerveux :	8
Réceptif au dressage :	2
Bruyant :	5
Joueur :	1
Dominant :	9

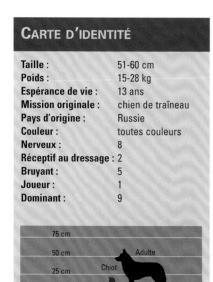

75 cm	
50 cm	Adulte
25 cm	Chiot
0	

CE QU'IL FAUT SAVOIR

Personnalité

Têtu, distant et enclin à se battre avec ses congénères, difficile à éduquer, le Husky sibérien n'est pas fait pour les gens qui n'ont aucune expérience. Néanmoins, ce chien magnifique peut parfaitement s'intégrer dans une famille si on l'y habitue très tôt.

Santé

À part plusieurs affections oculaires, cette race ne souffre d'aucune maladie grave.

Contraintes

Le poil dense doit être entretenu en permanence. Le dressage est long et le comportement sans laisse est imprévisible. Ce chien a besoin de se dépenser plusieurs heures par jour (comptez-en autant pour le retrouver une fois qu'il s'est échappé !).

Jack Russell Terrier

Ce chien musclé et robuste, vif, parfois un peu hargneux mais très élégant, a véritablement l'âme d'un terrier. Quand on le regarde dans les yeux, on a l'impression de l'entendre dire « T'inquiète pas, tout va bien ». Le standard FCI du Jack Russell Terrier est distinct de celui de son cousin, le Parson Russell Terrier (ce qui n'est pas le cas dans son pays d'origine). Aujourd'hui, ce chien tonique et infatigable est très populaire. Il est très à la mode dans le monde artistique et dans certaines familles royales.

Né pour mordre

Chez le chien, les caractères propres au loup peuvent être atténués ou, à l'inverse, amplifiés. Le Jack Russell a gardé la vivacité et la pugnacité de son ancêtre. Mais, contrairement à lui, il n'a pas recours au langage corporel pour éviter les confrontations et les bagarres. Il ne s'embarrasse pas de subtilités, sa devise semblant être « En cas de doute, mords ». Ce comportement doit être pris en compte lorsque l'on envisage d'acquérir un Jack Russell. L'apprentissage de la discipline est vital. Le mâle est plus agressif avec ses congénères que la femelle, qui est assez souple avec les autres chiens. Tous deux peuvent être extrêmement affectueux et adorent partager la vie de famille.

Un passé de chasseur

Soyez vigilant quand vous vous promenez dans la campagne. Le Jack Russell s'engouffre d'instinct dans tous les terriers, sans chercher à savoir comment il en ressortira. Son cousin, le Parson Russell Terrier, est plus haut sur pattes et plus carré ; son caractère est tout aussi bouillonnant, mais un peu plus docile.

CE QU'IL FAUT SAVOIR

Personnalité
Ce chien est très robuste malgré sa petite taille : les brutes adorent s'afficher avec lui. Il se plaît avec un partenaire, mais il est préférable de choisir un mâle et une femelle si l'on veut éviter les bagarres, fréquentes entre chiens du même sexe.

Santé
Les vétérinaires l'adorent. Il ne souffre d'aucune affection héréditaire grave. Même s'il est parfois difficile à examiner et qu'il se blesse plus souvent que les autres chiens du fait de son tempérament, il réagit bien aux traitements et se soigne sans problème.

Contraintes
L'extrême vitalité du Jack Russell, toujours prêt à jouer, exige au moins deux heures d'exercice physique et intellectuel par jour. Le poil dur nécessite un entretien quotidien.

CARTE D'IDENTITÉ

Taille :	25-30 cm
Poids :	5-6 kg
Espérance de vie :	13,6 ans
Mission originale :	ratier
Pays d'origine :	Royaume-Uni
Couleur :	blanc, marques noires ou feu
Nerveux :	9
Réceptif au dressage :	4-6
Bruyant :	3
Joueur :	7-9
Dominant :	8

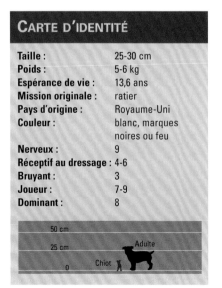

Le poil peut être lisse ou dur.

Bâtards et corniauds

Le bâtard est en pleine renaissance. Dans ma région, ces chiens, issus de croisements volontaires ou non, ont gagné les faveurs des familles « socialement responsables », qui considèrent que ces laissés-pour-compte ont droit à une deuxième chance. Le bâtard d'autrefois a pris du galon : il est désormais « chien de créateur ». La FCI et les sociétés canines ne reconnaissent pas ces chiens hybrides.

Définitions

Les termes utilisés pour décrire les chiens qui ne sont pas de race pure sont parfois confus. Un hybride, ou bâtard, est issu de deux races pures différentes. Posséder un bâtard étant désormais associé à un certain statut social, les Anglo-Saxons ont inventé le terme un peu pompeux de *designer dog* (« chien de créateur »). Quant au terme de corniaud (synonyme de chien des rues ou de chien commun), il désigne un chien issu de plusieurs races pures ou de races indéterminées. L'une de ces races (ou famille de races) prédomine toujours, mais le résultat de ce croisement est toujours aléatoire.

Bâtard, mais pas chien de race

Le terme de « race » désigne une population de chiens possédant

LA VIGUEUR HYBRIDE

Le terme de « vigueur hybride » a été utilisé pour la première fois par des chercheurs ayant remarqué que les plantes hybrides étaient plus grandes, avaient une croissance plus rapide, une meilleure fertilité et une plus grande résistance que leurs parents. Mais quand on croise ces hybrides entre elles, cette vigueur décroît et disparaît vers la huitième génération. Chez les chiens, la vigueur hybride se traduit surtout au niveau de la taille : la première génération de Labrador-Caniche moyen a généralement les membres plus longs que les parents. L'hybridation permet souvent, mais pas toujours, la dilution des mauvais gènes récessifs. Les tares seraient ainsi moins fréquentes chez les corniauds.

un patrimoine génétique commun et des caractéristiques physiques et comportementales constantes. Même si on lui donne un nom de race (Maltepoo par exemple), une famille de bâtards créés de façon intentionnelle ne constitue pas une vraie race dans la mesure où il ne s'agit pas encore d'une race pure. Il faut sept ou huit générations de reproduction sélective pour que l'aspect physique et le comportement des chiens produits deviennent vraiment stables. Ce résultat a été obtenu avec une seule race nouvelle, l'Australian Labradoodle, même si le Cockapoo n'est pas loin d'accéder au même statut. Notons que d'un point de vue strictement scientifique, le terme d'« hybride » est réservé à un individu issu de deux espèces différentes.

Il y a quelques années ce Carlin-Shi Tzu aurait été considéré comme une erreur de la nature.

Les centres d'accueil reçoivent souvent de grands corniauds, fruit d'une union non désirée. Les robes noir et blanc ou noir et feu sont courantes chez les corniauds.

Des apparences parfois trompeuses

L'aspect extérieur ne permet pas de préjuger du caractère. Certains chiots héritent des caractéristiques physiques de l'une des races dont leurs parents descendent et du caractère d'une autre. Il est impossible de prévoir ce qu'un croisement va donner. Un bâtard peut très bien ressembler à un Berger allemand mais ne pas avoir un tempérament de gardien, ou ressembler à un Golden Retriever et défendre son territoire comme un Rottweiler.

Sont-ils plus intelligents ?

Le mythe selon lequel les corniauds seraient plus intelligents que les chiens de race pure repose sur une mauvaise interprétation. Les pures races naissent en général dans un environnement privilégié. Ils sont socialisés dès la naissance et apprennent très vite à se reposer sur leur maître, qui va les nourrir, les loger et les protéger. Les corniauds, en revanche, naissent dans un milieu moins favorable. Ils apprennent donc très tôt à se défendre, à trouver leur nourriture et à être indépendants. Ils doivent réfléchir, ce qui ne veut pas dire qu'ils sont plus intelligents, mais que leur apprentissage de la vie se fait différemment.

LE CONSEIL DU VÉTÉRINAIRE

Les corniauds issus de lignées de chiens de travail comme le Colley ou le Berger allemand ont besoin qu'on leur confie une tâche. Le plus simple est de faire travailler votre chien avec une balle dans laquelle vous aurez introduit un peu de nourriture ; il devra la faire sortir avec son museau ou sa patte. L'apprentissage du rappel est indispensable (voir p. 128-129). Obligez-le à réfléchir en lui faisant chercher des objets (voir p. 142-145). En revanche, ne l'incitez pas à garder, chasser ou surveiller, sauf dans le cadre d'un programme structuré d'exercices physiques et intellectuels. Ne créez pas des situations qui pourraient le laisser penser qu'il dirige la meute. Demandez conseil à un éducateur professionnel, surtout si vous avez des enfants. Si votre compagnon aime être dehors, vous pouvez aussi l'inscrire dans un club pour chiens de travail.

L'aspect des hybrides Cocker-Caniche est extrêmement variable. La palette de couleurs est large.

Le Labradoodle est souvent de couleur claire, mais le noir et le marron sont également recherchés.

Un meilleur comportement ?

Le comportementaliste Roger Mugford soigne les chiens et recueille des données depuis plus de trente ans. Selon lui, les bâtards sont moins enclins aux problèmes comportementaux de dominance, que ce soit vis-à-vis de leurs maîtres ou de leurs congénères. En revanche, ceux liés à l'anxiété de la séparation sont plus fréquents car ils s'attachent davantage à leurs maîtres.

Mariages autorisés

La première génération issue du croisement de deux races (en génétique, on appelle ces chiots « F1 ») hérite à 50 % de l'ADN de ses deux parents. La plupart des bâtards dont on parle aujourd'hui sont des hybrides F1.

L'ESPÉRANCE DE VIE

D'après les statistiques des compagnies d'assurance-maladie pour chiens, l'espérance de vie moyenne des bâtards assurés est de 13,2 ans, c'est-à-dire inférieure à celle des races pures, notamment le Caniche (voir p. 44-45), le Teckel (voir p. 38), le Chow-Chow, le Terrier tibétain, le Jack Russell Terrier (voir p. 57) et le Beagle (voir p. 50).

Labradoodle et Australian Labradoodle

Ce sont les premiers bâtards créés volontairement. Le Labradoodle est le fruit de l'union d'un Labrador (voir p. 20-21) et d'un Caniche moyen (voir p. 45). L'Australian Labradoodle fait l'objet d'une sélection artificielle depuis les années 1980. Il est bien parti pour devenir une race homogène, reconnue par les sociétés canines.

Cockapoo/Cockerpoo et Spoodle

Ces croisements de Cockers (voir p. 24-25) et de Caniches (voir p. 44-45) existent depuis une vingtaine d'années. Certains éleveurs cherchent à produire une race, mais les caractères de ces chiens restent peu homogènes, ce qui s'explique par leurs quatre ancêtres (Cockers anglais et américain, et Caniches miniature et nain).

Pekepoo

Ce chien élevé en Europe, en Amérique du Nord, au Japon et en Australie est un mélange de Pékinois et de Caniche nain ou miniature (voir p. 44). C'est une vraie peluche, au tempérament variable. Il a souvent le caractère du Caniche, facile à dresser, joueur, vif et dominateur. Il peut hériter des qualités du Pékinois, observateur paisible qui a besoin d'autonomie.

CARTE D'IDENTITÉ

Taille :	43-66 cm
Poids :	20-40 kg
Espérance de vie :	standard 12,3 ans moyen 13,3 ans
Couleur :	toutes les couleurs du Caniche
Nerveux :	2-9
Réceptif au dressage :	8-9
Bruyant :	standard 4-5 moyen 4-9
Joueur :	8-10
Dominant :	standard 2-3 moyen 2-4

CARTE D'IDENTITÉ

Taille :	jusqu'à 48 cm
Poids :	jusqu'à 13,5 kg
Espérance de vie :	13,6 ans
Couleur :	unie ou multicolore, sans restriction
Nerveux :	5-8
Réceptif au dressage :	5-9
Bruyant :	6-9
Joueur :	5-8
Dominant :	4-10

CARTE D'IDENTITÉ

Taille :	très variable, jusqu'à 28 cm
Poids :	2-9 kg
Espérance de vie :	14 ans
Couleur :	celles du Caniche et du Pékinois
Nerveux :	7-8
Réceptif au dressage :	2-9
Bruyant :	9
Joueur :	2-8
Dominant :	4-8

Les éleveurs qui souhaitent créer à long terme une nouvelle race effectuent des croisements à partir de la première génération. Leur descendance est appelée hybride « F2 ». Cette génération et les suivantes ont un aspect et un tempérament beaucoup plus variables que les hybrides F1, car ils héritent des gènes des races d'origine dans des proportions diverses. En règle générale, cette hétérogénéité disparaît au bout de sept ou huit générations. On dit alors que les caractères sont fixés.

Mariages non autorisés

Si les hybrides à la mode sont issus d'unions intentionnelles, les bâtards et corniauds non désirés – ceux qui finissent généralement dans les refuges – sont

Le Puggle, issu du Carlin (Pug) et du Beagle, a la face plus allongée que le Carlin. Il est souvent très musclé.

La couleur de la robe du Yorkiepoo est extrêmement variable, même au sein d'une portée. Elle est rarement noir et feu.

Maltepoo

Le croisement du Bichon maltais (voir p. 49) et du Caniche miniature (voir p. 44) donne surtout des chiens de couleur claire. Leur tempérament est assez prévisible, les deux races d'origine ayant à peu près le même. Le Maltepoo est assez facile à éduquer et adore les activités comme l'*agility*. Le poil exigeant de l'entretien, laissez faire un professionnel.

CARTE D'IDENTITÉ

Taille :	variable, 18-28 cm
Poids :	proportionnel à la taille ; 2,3-5,5 kg
Espérance de vie :	14,1 ans
Couleur :	souvent blanche, mais toutes couleurs admises
Nerveux :	7-8
Réceptif au dressage :	6-9
Bruyant :	8
Joueur :	5-8
Dominant :	3-5

Puggle

Le croisement d'un chien de meute comme le Beagle (voir p. 50) et du Carlin (voir p. 36), au caractère indépendant, donne une descendance à l'aspect unique, qui n'est pas sans rappeler les ancêtres du Carlin, et à l'égocentrisme marqué, ce qui ne facilite pas toujours le dressage. Ceux qui héritent de la tendance du Beagle à donner de la voix peuvent exaspérer.

CARTE D'IDENTITÉ

Taille :	33-38 cm
Poids :	8-13,5 kg
Espérance de vie :	13,3 ans
Couleur :	citron, fauve, feu, roux ou noir avec des marques blanches et, souvent, un masque noir
Nerveux :	5-8
Réceptif au dressage :	2-3
Bruyant :	5-10
Joueur :	6
Dominant :	3

Yorkiepoo

Le croisement du Terrier du Yorkshire (voir p. 34) et du Caniche nain ou miniature (voir p. 44) produit une descendance à la robe très variable. Le tempérament de ces chiens est beaucoup plus homogène : ils sont vifs, énergiques, enjoués et bruyants. La plupart d'entre eux s'éduquent facilement.

CARTE D'IDENTITÉ

Taille :	variable, 18-38 cm
Poids :	variable, 1,4-6,5 kg
Espérance de vie :	13,8 ans
Couleur :	toutes couleurs unies ou multicolores admises
Nerveux :	7-10
Réceptif au dressage :	3-8
Bruyant :	9-10
Joueur :	7-8
Dominant :	4-7

Maggi (à droite), l'un de mes chiens, a l'apparence d'un Labrador, mais c'est un croisement de Border-Collie et de Labrador.

en grande majorité issu d'unions non programmées. Ce sont les « défavorisés » de la société canine : ils vivent dans des conditions difficiles, où la socialisation avec les autres chiens, voire avec les humains, se fait mal. Parmi eux se trouvent des individus issus de races de chiens de garde, comme le Berger allemand (voir p. 22-23), ou de « chiens de combat ». Pourquoi des guillemets ? Parce que dans l'absolu, tous les chiens sont susceptibles de se battre avec leurs congénères. Les « chiens de combat », comme le Pitbull, sont dressés et incités à se battre, mais le combat fait partie de la culture canine. La plupart des chiens utilisent le langage du corps pour menacer l'autre et éviter de se battre. Deux éléments distinguent les « chiens de combat » : ils ne cherchent pas

à éviter le combat ; quand ils se battent, ils mordent plutôt l'avant du corps, en particulier la tête et le cou, et ne lâchent pas prise, ce qui est le plus dangereux. Les problèmes de comportement sont presque constants chez eux.

GÉNÉALOGIE

Quel est son patrimoine génétique ?

En 2005, la cartographie du génome canin était assez avancée pour permettre aux scientifiques d'identifier une race à partir de l'ADN prélevé dans la bouche du chien. Depuis 2008, un test génétique permet de connaître les ancêtres d'un chien. Il est effectué à partir du même prélèvement.

Labradors hybrides

L'aspect du Labrador domine souvent, sauf dans les croisements avec le Berger allemand (voir p. 22-23), dont l'allure et le tempérament prennent le dessus. Un chien qui ressemble à un Labrador peut être source de confusion : s'il a un chien courant dans ses ancêtres, il risque d'être moins facile à dresser, moins énergique et plus bruyant que le Labrador.

Bergers allemands hybrides

La morphologie et le caractère du Berger allemand se perpétuaient dans tous les croisements. Les chiens ont toutes les chances d'être à la fois joueurs et faciles à dresser, mais aussi dominateurs et souvent bruyants.

Border Collies hybrides

Les chiens créés pour le travail ont beaucoup de mal à rester tranquilles à la maison. Les Border Collies hybrides héritent généralement du caractère des colleys. Ces chiens très affectueux finissent néanmoins souvent en refuge. Les comportementalistes en voient beaucoup : ils sont anxieux dès qu'on les laisse seuls ; ils font alors des saletés ou deviennent bruyants ou destructeurs.

CARTE D'IDENTITÉ

Taille :	variable, env. 56-63 cm
Poids :	variable, env. 25-36 kg
Espérance de vie :	env. 12,5 ans
Couleur :	souvent unie, mais toutes couleurs admises
Nerveux :	2-9
Réceptif au dressage :	6-9
Bruyant :	4-8
Joueur :	5-8
Dominant :	3-8

CARTE D'IDENTITÉ

Taille :	variable, env. 55-66 cm
Poids :	variable, env. 28-44 kg
Espérance de vie :	env. 12 ans
Couleur :	souvent noir et feu, mais toutes couleurs admises
Nerveux :	2-9
Réceptif au dressage :	6-9
Bruyant :	4-8
Joueur :	5-8
Dominant :	3-8

CARTE D'IDENTITÉ

Taille :	variable, env. 46-54 cm
Poids :	variable, env. 14-22 kg
Espérance de vie :	env. 13 ans
Couleur :	souvent noire ou noire et blanche
Nerveux :	5-8
Réceptif au dressage :	5-10
Bruyant :	3-8
Joueur :	5-8
Dominant :	3-7

L'avenir des bâtards

En laissant une population mélangée se reproduire en permanence de façon aléatoire, on finit par obtenir une certaine uniformité dans la descendance. Ces chiens pèsent en général de 15 à 20 kg, mesurent de 40 à 60 cm de haut au garrot, et sont marron clair ou noirs. Dans le monde entier, la plupart des chiens sauvages ressemblent à cela, de même que les races créées à partir de bâtards indigènes, comme le chien de Canaan, le chien de Caroline et le Podengo portugais.

La robe des chiens qui se reproduisent en liberté est souvent feu, une couleur courante chez les terriers hybrides.

CANICHES HYBRIDES

Ce n'est pas un hasard si les hybrides les plus populaires ont souvent du sang de Caniche. Cette race longtemps appréciée est désormais passée de mode. Aujourd'hui, les races dont on fait des chefs-d'œuvre d'art topiaire n'intéressent plus les amateurs de chiens. Le désintérêt pour le Caniche est regrettable car quand on le juge sur ses qualités intellectuelles, on s'aperçoit que ce chien sociable, agile et facile à dresser est extraordinaire. Les éleveurs l'ont bien compris, même s'ils font (assez fallacieusement) du caractère hypoallergénique des Caniches hybrides leur argument commercial principal.

Petits terriers hybrides

Ces croisements étaient autrefois plus courants qu'aujourd'hui. Le croisement du Jack Russell (voir p. 57) avec d'autres types de terriers (grands ou petits) reste le plus fréquent. L'instinct prédateur est toujours fort chez un terrier hybride, ce qui peut poser problème si vous avez un chat ou un lapin de compagnie chez vous.

Greyhounds hybrides

Beaucoup de Greyhounds pure race sont à la recherche d'un nouveau maître. Malgré sa grande taille, ce chien a besoin d'un espace vital assez réduit. Les Greyhounds hybrides sont également nombreux dans les refuges. Leur tempérament est très variable, mais ils ont tous en commun un formidable instinct de prédateur.

Bull-Terriers hybrides

Souvent adorables avec les humains, ils le sont nettement moins avec leurs congénères. Par conséquent, ils doivent toujours être considérés comme potentiellement dangereux vis-à-vis des petits mammifères (chats, lapins). Les Bull-Terriers hybrides, généralement débordants de vitalité, ont besoin d'évacuer leur trop-plein d'énergie, mais de façon contrôlée.

CARTE D'IDENTITÉ

Taille :	variable, jusqu'à 35 cm
Poids :	variable, généralement 4-8 kg
Espérance de vie :	env. 13,6 ans
Couleur :	toutes couleurs admises
Nerveux :	7-9
Réceptif au dressage :	4-6
Bruyant :	3-8
Joueur :	5-8
Dominant :	5-8

CARTE D'IDENTITÉ

Taille :	variable, 69-76 cm
Poids :	27-32 kg
Espérance de vie :	env. 13,2 ans
Couleur :	toutes couleurs admises
Nerveux :	2-7
Réceptif au dressage :	2-7
Bruyant :	2-7
Joueur :	2-7
Dominant :	5-9

CARTE D'IDENTITÉ

Taille :	très variable, 35-51 cm
Poids :	très variable, 11-30 kg
Espérance de vie :	env. 11 ans
Couleur :	souvent noire et feu, noire et blanche, ou bringée
Nerveux :	7-10
Réceptif au dressage :	2-7
Bruyant :	2-6
Joueur :	5-10
Dominant :	5-9

Trouver le bon chien

Pure race ou bâtard ? Une fois cette première étape franchie, réfléchissez à ce que vous voulez : un chiot ou un adulte? De quel sexe ? La question qui se pose ensuite est de savoir où trouver votre chien et comment choisir celui qui vous conviendra. Mais avant de vous engager, pensez une fois encore aux besoins qu'il aura. Demandez-vous si vous êtes vraiment prêt à franchir le pas. Prêt à payer, à donner de votre temps, à lui faire de la place et à le stimuler physiquement et mentalement… pendant quinze ans. Ne soyez pas égoïste et soyez honnête. Êtes-vous quelqu'un avec qui un chien aurait envie de vivre ?

Chien sensible recherche maître avec…
Du temps et de la force
Des qualités de meneur
Un odorat pas trop délicat
Un imperméable pour se promener
Une patience inébranlable
Des genoux confortables

Chiot ou adulte ?

À huit semaines, le chiot est encore très malléable et vous pouvez en faire ce que vous voulez. Il se trouve à la période de sa vie où il est le plus ouvert à l'apprentissage de nouveaux comportements et il n'a encore peur de rien. Les comportementalistes parlent de période de socialisation. Celle-ci se poursuivant jusqu'à l'âge de trois mois environ, on voit l'intérêt de prendre un jeune chiot. S'il a été élevé jusque-là dans de bonnes conditions, il est relativement facile de socialiser le chiot dans son nouvel environnement. Toutefois, il lui faut être resté avec ses frères et sœurs jusqu'à l'âge de huit semaines. Un chiot élevé de façon isolée ou enlevé trop tôt à sa mère risque d'avoir des problèmes de comportement une fois adulte.

Adopter un chien adulte relève davantage du coup de chance. Vous prenez ce qu'on vous donne, c'est-à-dire un chien dont la socialisation s'est faite dans des conditions que vous n'avez pas maîtrisées. Offrir un foyer à un chien dont personne ne veut est gratifiant, mais il y a beaucoup d'inconnues. Le chien va obligatoirement devoir « désapprendre » certains comportements avant d'apprendre ceux que vous voulez lui inculquer.

Mâle ou femelle ?

Le cerveau du mâle « se masculinise » juste avant la naissance, quand ses testicules se mettent à sécréter

de la testostérone pendant quelques jours. Les chiots mâles grandissent par conséquent plus vite que leurs sœurs et sont plus turbulents que les femelles. Chez la femelle, en revanche, la poussée hormonale n'a lieu qu'au moment de la puberté. C'est là que la différence de tempérament entre les deux sexes devient évidente et pose parfois problème (voir p. 187). En général, les mâles sont plus dominateurs, actifs et destructeurs. Les femelles ont un plus grand besoin d'affection et sont plus faciles à éduquer. Pour atténuer ces différences et préserver l'âme de chiot de votre compagnon, faites-le stériliser très tôt.

Ce Cavalier King Charles de huit semaines, dont je vérifie les yeux et le poids, ne se montre pas effrayé.

LE CONSEIL DU VÉTÉRINAIRE

Lors de vos premières recherches, n'emmenez pas vos enfants avec vous. Ils risquent en effet d'avoir envie du premier chien qu'ils verront ou du seul qui sera encore disponible. Une fois que vous avez décidé de la race et de l'éleveur, ils pourront vous accompagner pour le choisir dans la portée.

Trouver un chien

Vous allez prendre en charge la dernière phase de la période de socialisation, mais c'est à l'éleveur de veiller à ce que les chiots soient élevés dans le meilleur environnement possible durant leurs huit premières semaines de vie. Le toucher est sans doute le sens le plus important chez les espèces sociables comme le chien et l'homme. Il est absolument essentiel pour leur développement physique et affectif que les chiots, dès le plus jeune âge, soient manipulés souvent et avec douceur. Soyez conscient des risques que vous prenez en achetant un chiot d'origine douteuse dans une animalerie, même s'il vous regarde du fond de sa cage avec des yeux tristes et même si on vous assure qu'il a un excellent pedigree.

Le bouche à oreille

La bonne vieille méthode de la recommandation personnelle est souvent (mais pas toujours) un bon point de départ. Vous avez peut-être dans vos connaissances des gens qui font reproduire leur chien pour perpétuer sa lignée. Même si ce sont des amateurs, ils produisent souvent des portées qu'ils élèvent avec amour chez eux et socialisent

Dans un refuge sérieux, vous serez bien conseillé.

correctement. L'avantage, si vous connaissez la mère, c'est que vous avez déjà une idée de la taille et du caractère qu'auront les chiens une fois adultes.

Les sites Internet des éleveurs

Quelques-uns sont parfaitement recommandables, surtout si l'éleveur est affilié à un club de race. D'autres sont plus suspects. Méfiez-vous des gens qui vous proposent, par e-mail ou par téléphone, de vous livrer le chiot « pour vous arranger ». Il y a de grandes chances qu'il s'agisse de producteurs peu scrupuleux qui ne souhaitent pas que vous voyiez les conditions dans lesquelles leurs chiens vivent.

Les animaleries

Soyez vigilant. Dans la plupart des animaleries (plus de 90 % d'après plusieurs études), les chiens proviennent d'élevages en batterie. Les chiots y sont élevés dans des conditions effroyables sur le plan médical et affectif.

Petites annonces

Les bons éleveurs vivent sur leur réputation et le bouche à oreille. Les meilleurs ont en permanence des listes d'attente et n'ont pas besoin de faire de la publicité pour vendre leurs chiots. Méfiez-vous des petites annonces dans les journaux : elles émanent bien souvent de fermes d'élevage en batterie. C'est aussi la méthode préférée des éleveurs amateurs espérant se faire un peu d'argent avec les petits de leur chienne. Sachez que les plus fiables ont déjà placé leurs chiots avant qu'ils ne soient conçus ; si cela ne suffit pas, ils mettent plutôt une annonce chez leur vétérinaire.

Annonces de cliniques vétérinaires

Vous n'aurez en principe pas de mauvaise surprise. Le personnel connaît la mère et même le père car il sert quelquefois d'entremetteur. Cela permet d'avoir une idée très précise des éventuels problèmes médicaux. Vous pouvez être certain que la vermifugation de la mère pendant la grossesse et le traitement antiparasitaire des chiots seront assurés, et que le carnet de vaccination des deux parents sera à jour.

Refuges pour chiens

On trouve de tout dans les refuges : pures races, bâtards, corniauds, chiots, chiens dans la force de l'âge, vieux chiens. N'y allez surtout pas si vous n'avez pas une idée précise de ce que vous cherchez. Si vous ne voulez pas commettre d'erreur, les sentiments ne doivent pas l'emporter

---

LE CONSEIL DU VÉTÉRINAIRE

Un bon éleveur cherche par tous les moyens à tester ses acheteurs. Il veut s'assurer que ses bébés vont dans une bonne maison. Je connais un éleveur de Labradors qui explique à ses clients potentiels qu'un chiot s'éduque, qu'il faut du temps et de l'énergie pour en faire un gentil compagnon qui s'adaptera à votre mode de vie et non l'inverse. Il leur présente ensuite un Labrador (voir p. 20-21) mâle turbulent qui leur saute dessus et leur bave sur le visage. Après, il leur amène un autre mâle adulte bien élevé, qui s'assied gentiment pour qu'on le caresse. Il leur explique qu'un chien correctement éduqué doit ressembler à cela. Il les laisse méditer là-dessus quelques instants avant de leur dire que ces deux chiens sont les mêmes. À mon sens, c'est un éleveur responsable.

sur la raison, aussi dur que cela puisse paraître. Car il faut bien avouer qu'il est humain de se laisser attendrir par le regard d'un chien enfermé derrière des barreaux !

Clubs de race

Les clubs de race proposent tous des chiens à adopter. Un chien de race pure peut avoir besoin de changer de maître en raison d'un problème de comportement subit, comme le syndrome de dysthymie chez les Cockers blonds (voir p. 24-25). Les chiens qui cherchent une nouvelle maison à cause d'un deuil, d'une maladie ou d'un déménagement dans un lieu où ils ne peuvent pas suivre leur maître sont au moins aussi nombreux. Cherchez sur le site Internet du club de race qui vous intéresse ou demandez à votre vétérinaire de vous donner l'adresse e-mail ou le numéro de téléphone d'un club proche de chez vous.

Éleveurs professionnels

Même si certains sont un peu spéciaux et obnubilés par leur race, s'adresser à un éleveur professionnel reste de loin la meilleure solution quand on veut un chien de race pure. Toutefois, à côté des excellents éleveurs qui adorent leurs chiens, on en trouve dont la seule motivation est l'argent. Soyez vigilant. Quand vous allez voir un éleveur, cherchez les preuves de son amour pour les chiens. Un heurtoir en forme de tête de chien de la race qu'il élève, des chiens partout sur les chaises et les fauteuils ou des trophées trônant sur le buffet sont un très bon signe. Méfiez-vous des chiots déjà âgés conservés comme « chiens d'exposition potentiels ». Ils ont souvent passé plusieurs semaines en chenil et auront peut-être du mal à s'adapter à la vie de famille.

Un bon éleveur vérifie que ses reproducteurs sont indemnes de tares comme la dysplasie de la hanche.

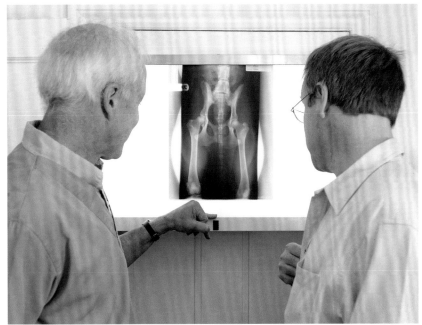

LES QUESTIONS À POSER

- **Depuis combien de temps faites-vous l'élevage de cette race ?**
  Plus il a d'expérience, mieux c'est.
- **Quels sont les défauts de cette race ?**
  Plus il en énumère, plus il est honnête.
- **Puis-je voir le père ?**
  S'il s'agit d'un mâle reproducteur appartenant à un autre éleveur, il doit au moins avoir une photo de lui et vous donner les coordonnées du propriétaire si vous voulez en savoir plus.
- **Où vivent les chiens ?**
  Un chien qui vit à l'intérieur, dans un environnement familial est un chien heureux, qui a toutes les chances d'être sociable.
- **Puis-je faire un tour ?**
  S'il est consciencieux, il n'a rien à craindre des gens qui veulent voir comment vivent ses chiens.
- **Puis-je voir les autres chiens ?**
  Ils doivent tous être gentils et se laisser approcher.
- **Puis-je vous rendre le chiot s'il y a un problème ?**
  Un bon éleveur demande à ce qu'on lui ramène les chiots en cas de problème.
- **Puis-je contacter des gens à qui vous avez vendu des chiots ?**
  Un bon éleveur n'a aucune critique à redouter.
- **La portée a-t-elle été examinée par un vétérinaire ?**
  Un bon éleveur doit accepter de fournir les coordonnées du vétérinaire qui a vu les chiots.
- **Vos portées sont-elles bien cotées par la Société centrale canine ?**
  Un bon éleveur est fier de la qualité de ses chiots et n'hésite pas à donner cette information. Plus le chiffre est élevé, plus les chiens sont bien cotés (les notes vont de 1 à 6).
- **Combien de portées la mère a-t-elle eu ?**
  Un bon éleveur limite le nombre de portées de ses chiennes.

Évaluer un chiot

Le pedigree ne veut rien dire. Il permet juste de connaître les ancêtres d'un chien. Ce qui vous intéresse, c'est la santé et le caractère de ces ancêtres, et si l'environnement physique et affectif dans lequel a été élevé le chiot est bon. L'enregistrement auprès de la Société centrale canine implique que les papiers sont en règle, mais non que tous les éléments ont été vérifiés. Dans la plupart des pays, la déclaration auprès d'une société canine se fait sur l'honneur. La généralisation de la carte d'identité génétique devrait permettre de constituer des registres plus précis.

Vérifiez que les deux parents sont bien exempts de tares, notamment de dysplasie de la hanche ou du coude et de certaines affections oculaires.

Informez-vous sur le nombre de races que l'éleveur élève. Si elles sont au moins deux, elles doivent avoir un point commun. Ne soyez pas étonné, par exemple, s'il élève des Labradors (voir p. 20-21) et des Cockers (voir p. 24-25)

qui sont des chiens de travail. S'il élève des Chihuahuas (voir p. 35) et des Akita-Inus, vous pouvez vous poser des questions.

Un bon éleveur connaît tous ses chiots : il sait lequel est timide ou bien remuant. Suivez ses conseils pour choisir le vôtre.

Ces chiots Labrador sont élevés dans une maison où tout est permis. Observez la façon dont ils réagissent. Un chiot dominant le reste une fois adulte.

Évaluer la personnalité d'un chiot

En une seule visite, il est presque impossible d'évaluer la personnalité que le chiot aura plus tard. On sait néanmoins que le comportement d'un chien adulte repose sur l'apprentissage et l'expérience. Il y a une exception. On peut tester le caractère dominant d'un chiot. Un chiot dominant a toutes les chances de devenir un adulte dominant. Un chiot vif qui se débat, se tortille et se montre menaçant quand on le soulève aura un comportement difficile à gérer une fois adulte.

Les éleveurs qui ont de l'expérience connaissent d'instinct la personnalité de chaque chiot. Mais grâce à quelques tests simples (voir encadré), à effectuer de manière hebdomadaire à partir de six semaines, on peut savoir si un chien est potentiellement dominant ou non.

TESTER LE CARACTÈRE DOMINANT D'UN CHIOT

Faites les tests suivants dans un endroit calme, à l'écart de la mère et des frères. En général, le score est à peu près identique à chacun des tests.

Soulevez le chiot.

1 Tremble   **2** Est hésitant   **3** Est détendu   **4** Résiste   **5** Est agressif

Mettez le chiot par terre dans un endroit calme qu'il ne connaît pas et observez-le.
1 Tremble   **2** Est hésitant   **3** Est détendu   **4** Est curieux   **5** Est curieux et agité

Faites-le rouler sur le dos pendant une minute.
1 Tremble   **2** Est hésitant   **3** Est détendu   **4** Se débat   **5** Est agressif

Mettez le chiot face à vous, à 2 mètres de vous, accroupissez-vous et appelez-le.
1 Ne bouge pas   **2** Est hésitant   **3** Marche lentement   **4** Court   **5** Vous renverse

Les chiots qui ne se sentent pas en sécurité ou qui sont nerveux obtiennent les scores les plus faibles ; les chiens potentiellement dominants, les scores les plus élevés. Si c'est votre premier chien, un chiot avec un score moyen sera plus facile.

Évaluer un chien adulte

Les centres d'accueil sérieux évaluent l'état de santé et le comportement des chiens qu'ils recueillent. Une trace écrite de ces observations est gardée. Renseignez-vous sur la réputation du centre. Les locaux et le personnel doivent être propres et bien organisés. Ne vous laissez pas trop impressionner par les aboiements. Les chenils traditionnels, avec leurs rangées de boxes, incitent les chiens à aboyer. Dans les chenils plus modernes, où les boxes sont disposés en cercle pour que les chiens se voient, le phénomène est plus limité. Un chien qui n'aboyait pas auparavant peut très bien prendre de mauvaises habitudes pendant un séjour dans un refuge.

Est-il en bonne santé ?

Les chiens en attente d'adoption doivent être identifiés (tatouage ou puce électronique) et avoir un carnet de vaccination à jour. Ils doivent avoir été traités contre les parasites internes et externes. Renseignez-vous sur le souci porté à la prévention de la toux du chenil. Cette forme de toux extrêmement contagieuse se transmet dans les endroits très peuplés, d'où son nom. Dans certains chenils, on sépare les nouveaux arrivants pendant une semaine pour éviter qu'ils contaminent les autres chiens. Si un chien vous plaît, demandez s'il s'est perdu ou s'il a été volontairement abandonné ; dans ce dernier cas, son passé médical et son histoire sont sans doute connus. Quoi qu'il en soit,

Chez le chien adulte, comme ce Labrador abandonné, toutes les tares éventuelles doivent être recensées.

LA PUCE ÉLECTRONIQUE

La puce électronique, ou transpondeur, est un appareil de la taille d'un grain de riz qui émet des ondes électromagnétiques. Elle s'injecte facilement sous la peau, et lorsque l'on passe un lecteur devant elle, celui-ci reçoit une séquence de nombres unique. Elle permet d'identifier chaque chien sans erreur possible. Si on ne touche pas le chien à l'endroit où elle a été injectée pendant 24 heures, il n'y a aucun risque qu'elle se déplace. Elle peut être lue par n'importe quel lecteur. La puce électronique n'est pas obligatoire mais fortement conseillée.

Les pannes sont extrêmement rares mais il est préférable de vérifier une fois par an que la puce émet toujours son code.

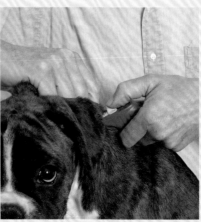

La puce est injectée soit au milieu de la nuque, soit au niveau de l'omoplate, ou encore à l'arrière de l'oreille gauche.

Les puces que j'utilise contiennent un thermomètre permettant de connaître à la fois l'identité et la température du chien.

Face à d'autres animaux, tous les chiens laissés en liberté sont imprévisibles.

si le centre est sérieux, l'état de santé est vérifié par un vétérinaire.

Un caractère imprévisible

Tous les chiens adultes adoptés arrivent avec une histoire que l'on ne connaît pas. Certains se méfient des enfants ou essaient de les dominer. D'autres ne sont pas très sociables avec les étrangers, mais n'ont aucun problème avec les chiens qu'ils ne connaissent pas, ou inversement. Leur comportement est en principe évalué à leur arrivée. Vous pourrez ainsi savoir si celui que vous avez choisi est sociable, vif, s'il a une forte personnalité, s'il a besoin d'affection, s'il est indépendant et s'il est dressé ou sera facile à éduquer.

Les problèmes de séparation

Après son adoption, votre chien va brusquement se retrouver dans un milieu culturel nouveau. Après s'être débrouillé tout seul, il va devoir apprendre à ne rien faire. C'est difficile, très difficile, surtout pour un chien qui est habitué à déjouer tous les pièges de la rue.

Les statistiques fournies par les éducateurs canins sont éloquentes : les problèmes les plus fréquents chez le chien adulte adopté sont ceux dus à l'inactivité du chien, la situation la pire étant celle du chien que l'on laisse tout seul toute la journée dans un endroit où il a la place de tourner en rond de pièce en pièce et de fenêtre en fenêtre. Si possible, habituez votre chien à être placé dans un espace restreint, un parc pour chien par exemple, que vous

DÉPISTAGE

Beaucoup d'affections ont une composante génétique. Le meilleur moyen de diminuer leur incidence est de n'autoriser que les chiens indemnes de ces affections à se reproduire. Les éleveurs sérieux soumettent leurs chiens à différents tests de dépistage des affections héréditaires touchant les yeux ou les articulations, comme l'atrophie rétinienne progressive et la dysplasie de la hanche. Les plus sérieux joignent le résultat des tests aux documents qui accompagnent chaque chiot. Si vous optez pour un chien de race pure, renseignez-vous auprès d'un vétérinaire ou sur Internet sur les tests de dépistage qui existent. Certains problèmes de comportement étant également héréditaires, on écarte de la reproduction les lignées qui en sont atteintes. Dans les années à venir, des tests génétiques seront disponibles pour un certain nombre de tares.

Sera-t-il réceptif au dressage ?

1 Mettez-vous à genoux devant le chien et, en le fixant gentiment des yeux, proposez-lui une friandise. S'il est réceptif, il ne sera pas troublé par votre regard et prendra volontiers la friandise.

2 Sans le regarder dans les yeux et sans vous mettre au-dessus de lui, approchez votre main et posez-la à plat sur son oreille. S'il est réceptif, il se laissera faire.

pouvez installer sous une table (voir p. 80-81). Une fois qu'il se sentira en sécurité, bien chez lui, il sera beaucoup plus facile pour vous de le canaliser, car vous aurez la possibilité de l'éloigner des stimuli qui provoquent son agitation. Cela est particulièrement important pour les chiens qui ont du sang de races dont l'instinct de gardien ou de prédateur est très marqué, comme les Colleys (voir p. 62), le Berger allemand (voir p. 62) ou les terriers (voir p. 63).

Comment se comporte le chien en dehors du refuge ?

Le comportement du chien en dehors du refuge peut être radicalement différent de ce qu'il est quand il y est enfermé. Pour savoir comment il obéit, emmenez-le en terrain neutre, dans un jardin public par exemple, où il pourra rencontrer d'autres animaux, jouer avec une balle et voir des gens courir et bouger. C'est aussi l'endroit idéal pour voir s'il supporte qu'on le touche. Sachez qu'un chien, aussi doux soit-il en apparence, peut avoir un instinct prédateur (de chasseur) très fort, même s'il ne manifeste aucun intérêt pour les autres animaux quand il est tenu en laisse.

Le service « Conseil »

L'objectif des centres d'accueil étant de trouver un nouveau foyer

à leurs chiens et pas simplement de s'en débarrasser, certains donnent aux adoptants des consignes écrites pour les aider à les éduquer, les nourrir et les soigner. D'autres proposent même des cours d'éducation canine de base et une aide pour surmonter les éventuels problèmes de comportement.
Il en existe qui continuent à assurer le suivi médical du chien après l'adoption.

LE CONSEIL DU VÉTÉRINAIRE

En tant qu'humain, vous ne voyez pas tout ce que perçoit un chien, à savoir un monde peuplé d'horribles monstres tapis dans tous les coins.
Avec un adulte, attendez-vous au pire. Un objet aussi inoffensif qu'un sac en plastique emporté par le vent peut effrayer un chien, aussi gros ou querelleur soit-il. Les motifs d'avoir peur sont nombreux :

- Bébés
- Enfants
- Adultes
- Personnes âgées
- Personnes en uniforme, surtout si elles portent un chapeau ou un casque
- Personnes portant un sac à dos ou un porte-bébé, ou tirant un bagage à roulettes
- Personnes faisant du sport, notamment celles qui courent ou font du roller
- Personnes qui crient ou sont éméchées
- Autres animaux, grands ou petits, y compris les chiots
- Véhicules, surtout s'ils font un bruit inhabituel
- Bruits de la nature (tonnerre par exemple) ou d'origine humaine (feu d'artifice)
- Chantiers de construction (bruits, matériel et ouvriers)
- Jouets téléguidés
- Surfaces inhabituelles, comme une terrasse en bois ou en pierre
- Appareils ménagers comme les aspirateurs et les sèche-cheveux
- Escaliers sans contremarche
- Stations de lavage de voitures
- Transports en commun

Tout, ou presque, peut affoler un chien. Si c'est un adulte qui vous intéresse, moins il verra de créatures effrayantes, plus vous serez tranquille.

Un chien, jeune ou vieux, est toujours curieux et impressionnable. Laissez-le inspecter sous votre surveillance ce qui est nouveau pour lui.

Chapitre 2
Premiers temps

Soyez prêt

Tous les jours, je rencontre des maîtres chaleureux, attentifs, généreux, aimants, prêts à donner de leur temps et de leur argent. Mais force est de constater que beaucoup, sinon la majorité d'entre eux, malgré leur gentillesse et leur intelligence, ne se sont absolument pas préparés à l'arrivée d'un chien (chiot ou adulte) chez eux. Se préparer, ce n'est pas seulement bien s'équiper, c'est aussi avoir un projet cohérent, une attitude réfléchie et ne pas laisser les sentiments prendre le dessus face au regard attendrissant que peut prendre un chien.

QUESTIONS-RÉPONSES

Qu'est-ce que mon chien attend de moi ?
La réponse est simple. Ce qui compte, c'est la nourriture, l'activité physique et mentale, le sentiment de sécurité et la régularité. Pour qu'il se sente bien et sache se situer dans la hiérarchie sociale de la maison, vous devez réagir instantanément face à lui.

Après mûre réflexion

Si vous avez bien réfléchi aux devoirs et aux contraintes qu'impose un chien (voir p. 12-17), vous avez choisi en connaissance de cause (voir p. 64-71) et vous êtes prêt à franchir le pas. Vous avez choisi un chiot élevé dans une maison (pas isolé de tout contact social), qui a été habitué à toutes sortes de bruits (aspirateur, cris d'enfants, sèche-linge…), à rencontrer d'autres animaux et des gens, à qui on a donné des jouets à mordiller pour s'amuser et qui a commencé l'apprentissage de la propreté et de l'obéissance. Si ce n'est pas le cas, vous partez déjà avec un handicap qu'il va falloir rattraper, et cet ouvrage n'y suffira pas. Si vous ramenez chez vous un chien qui n'a pas besoin d'être éduqué mais plutôt d'être rééduqué, adressez-vous tout de suite à un bon éducateur (voir p. 125). Sinon, les problèmes risquent d'empirer au fil des jours. Renseignez-vous éventuellement auprès d'un club de votre région pour obtenir les coordonnées d'un propriétaire qui a connu la même situation que vous.

Ne perdez pas de temps

Le chien est le plus malléable pendant les trois premiers mois de sa vie. À cinq mois, la période à laquelle il est ouvert aux apprentissages est terminée. La plupart des problèmes de comportement et d'humeur remontent à cette période. C'est pourquoi éduquer un chien adopté à l'âge adulte est plus difficile (voir p. 86-91).
Le chronomètre se met en route dès le jour où votre chiot arrive chez vous. Et il avance vite. Il y a tellement de choses à lui apprendre ; tout doit se mettre en place en douze semaines, quand il a entre huit et vingt semaines. Il est impératif que

Malgré les barreaux, cette cage n'est pas une prison, mais un abri protégé, sûr et confortable.

vous sachiez avant son arrivée ce que vous devez lui apprendre et comment le faire.

La socialisation

Bien socialiser le chiot, c'est l'exposer en douceur mais systématiquement à toutes les situations qu'il est susceptible de rencontrer plus tard : autres chiens et autres animaux, personnes ayant un aspect différent du vôtre, contacts avec un sol différent de ce qu'il connaît, contact physique avec des étrangers, pas seulement avec vous. C'est également lui présenter chaque situation nouvelle de façon intéressante et ludique, en évitant de l'effrayer. Une bonne socialisation,

Prenez le temps de jouer avec lui. Réservez la cage aux moments où vous ne pouvez pas vous occuper de lui.

c'est lui permettre de prendre de l'assurance et d'être prêt à affronter la plupart des difficultés d'une vie de chien. Les chiens élevés dans un environnement urbain bruyant et surpeuplé sont toujours mieux socialisés que ceux élevés en milieu rural, à l'abri de ces nuisances. Quand vous confrontez votre chien à de nouveaux stimuli, surveillez-le bien pour détecter tout signe de stress et de peur : halètement, tremblement, agitation, miction de soumission. En négligeant ces

signes, vous risquez de forcer votre chien à subir une situation qu'il ne sait pas encore gérer et de générer des problèmes de peur, d'agressivité ou d'anxiété.

Éduquer la famille

Avant son arrivée, choisissez une personne dans la famille qui sera le responsable attitré de votre nouveau compagnon. Dans une famille classique, c'est souvent celui ou celle qui s'occupe des enfants.

Quel que soit le cas de figure, c'est toujours une seule et même personne qui doit s'occuper du chien et veiller à ce que tous les membres de la famille aient la même approche. Attention, le maillon faible, c'est souvent l'homme. C'est lui qui laisse le chien courir partout, qui lui donne trop à manger sans rien attendre en retour et l'entraîne dans des jeux susceptibles de créer des problèmes de comportement plus tard. Soyez cohérent. Faites une liste des règles à respecter, en précisant en préambule qu'il est interdit de gâter le chien, et accrochez-la où c'est nécessaire. Désignez un remplaçant au responsable attitré quand celui-ci est absent.

Attachez toujours votre chien en voiture. À défaut de cage, attachez-le avec un harnais spécial.

Le matériel indispensable

Vous pourrez toujours vous faire plaisir en lui achetant des accessoires plus tard (voir p. 106-111), mais pour l'instant, allez à l'essentiel. Il n'a pas besoin de grand-chose : collier léger et laisse en nylon (avec plaque d'identité), gamelles antidérapantes pour l'eau et les aliments, nourriture, friandises, trois jouets creux à mordiller, une cage (avec fond et couvercle) suffisamment grande pour qu'il ne soit pas trop vite à l'étroit, un parc pour jouer, une brosse, un peigne ou un gant, et une serviette de toilette.

Écartez les dangers

L'ingéniosité d'un chiot est parfois étonnante. Si on le laisse faire, il est capable, malgré son air innocent et ses yeux doux, d'ouvrir tiroirs et placards, d'emporter une nappe, de retrouver des

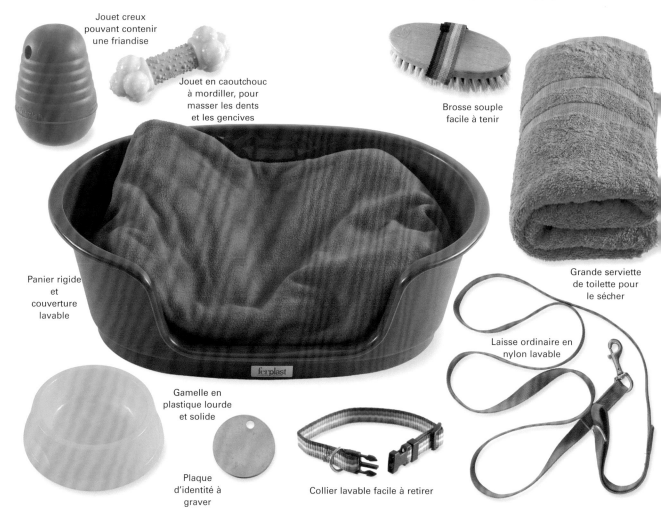

Jouet creux pouvant contenir une friandise

Jouet en caoutchouc à mordiller, pour masser les dents et les gencives

Brosse souple facile à tenir

Grande serviette de toilette pour le sécher

Panier rigide et couverture lavable

Laisse ordinaire en nylon lavable

Gamelle en plastique lourde et solide

Plaque d'identité à graver

Collier lavable facile à retirer

Un chiot a besoin de dormir pour se reposer et pour grandir, l'hormone de croissance étant libérée pendant le sommeil.

objets qu'on croyait perdus ou qu'on ne pensait pas avoir égarés ou de déterrer les plantes. Au début, limitez son aire de jeux à une seule pièce quand il est hors de son parc. Mais avant de le ramener chez vous, faites l'inventaire de ce qui peut être dangereux pour lui. Les chiots goûtent à tout. Ils mordillent volontiers les câbles électriques et les fils de téléphone, les tapis et les plantes vertes. Ma chienne Macy s'était même attaquée à un meuble d'antiquaire.

Manipulez votre chiot

Lorsque l'on caresse un animal, on se sent mieux, plus détendu. Il est scientifiquement prouvé que ce geste a des effets physiologiques bénéfiques, qu'il fait baisser la tension artérielle et le rythme cardiaque. Si vous voulez un chien câlin qui apprécie vos caresses, soulevez-le, cajolez-le et brossez-le régulièrement. S'il se débat quand vous le soulevez, tenez-le sans le serrer, parlez-lui doucement et caressez-lui les oreilles, la poitrine ou l'espace entre les yeux. Donnez-lui une friandise s'il se calme. Il doit se sentir en sécurité dans vos bras. Même si tous les chiens n'ont pas le même tempérament, le toucher demeure un sens essentiel et la plupart s'apaisent très vite.

Le trajet jusqu'à la maison

Emmenez avec vous la cage de votre chiot (voir p. 80-81) et une couverture à mettre au fond. Prévoyez quelqu'un pour vous accompagner. Si l'éleveur peut vous donner un petit chiffon qui porte l'odeur de ses frères et de sa mère, mettez-le dans la cage pour qu'il puisse sentir une odeur familière. Avant de le faire monter en voiture, laissez-le se dépenser. Avec un peu de chance, il dormira une bonne partie du voyage, mais s'il est réveillé, laissez-le tranquille.

LE CONSEIL DU VÉTÉRINAIRE

Voyager en voiture est nouveau pour le chiot. Par conséquent, ne soyez pas étonné s'il souffre du mal des transports quand vous le ramenez chez vous. Prévoyez un rouleau d'essuie-tout et demandez à l'éleveur de ne rien lui donner à boire ou à manger dans les trois heures qui précèdent le voyage.

Voyagez au moment le plus frais de la journée, aérez bien la voiture et parlez-lui doucement s'il est inquiet.

Si le trajet dure plus de 90 minutes, faites une halte : mettez-lui son collier et sa laisse, et tenez-le bien si vous le faites descendre de voiture. N'essayez pas de le promener en laisse s'il n'a pas encore l'habitude. Cela viendra plus tard. Contentez-vous de le suivre en évitant que la laisse se tende.

Le premier jour

Si vous attribuez dès le début à votre chien un coin bien à lui pour dormir et pour jouer (voir p. 87) et que vous le familiarisez au reste de son environnement sous haute surveillance, vous éviterez d'emblée les gros problèmes. Acclimater un chiot à sa nouvelle maison est extrêmement facile, à condition de s'y prendre correctement. Si vous démarrez de travers, vous allez vous en mordre les doigts. Les règles sont simples. Votre objectif est de faire en sorte qu'il se sente à l'aise dans l'espace qui lui est réservé, qu'il puisse y jouer sans ravager votre intérieur et qu'il ait l'occasion de se faire les dents.

Un poste de radio diffusant de la musique douce peut l'aider à se calmer.

Trouver un nom

Certains chiens doivent leur nom à un trait physique ou de caractère. Quel que soit celui que vous choisssez, faites simple, limitez le nombre de syllabes et optez pour des consonnes accentuées. « Rex » est un excellent nom de chien : net, court et facile à apprendre et à comprendre. Si vous avez déjà un chien, choisissez un nom très différent pour qu'ils ne les confondent pas quand vous les appelez. Pour les chiens de races, les noms doivent répondre à une norme, chaque année de naissance correspondant à une lettre initiale différente (qui n'est pas la même dans tous les pays). En France, Q, W, X, Y, Z ne sont jamais employées.

Brossage et repas

Le brossage ne sert pas seulement à éviter les problèmes de peau et les mauvaises odeurs. Il fait partie de son éducation. Brossez votre chiot dès le premier jour. Votre chien pense peut-être que manger est un moyen de satisfaire sa faim. Vous estimez peut-être que le plus important est de le nourrir en respectant un bon équilibre nutritionnel. La nourriture est évidemment essentielle à son développement physique et mental (voir p. 98-105), mais son intérêt n'est pas seulement nutritif. Elle constitue l'élément-clé de l'éducation de votre chien. Le principe est simple : c'est vous qui décidez de ce qu'il mange. Dès son arrivée à la maison, servez-vous de ce principe pour façonner son comportement.

Habituez très tôt votre chiot à la brosse et à la serviette.

Le bon usage des dents

Pour le chien, mordiller est une activité aussi normale que manger et dormir. La satisfaction qu'il en tire est nécessaire à sa vie de chien. Surveillez les endroits où il va et donnez-lui certains aliments et certains jouets pour qu'il apprenne à mordiller ce que vous acceptez qu'il mordille. Un chiot qui peut aller où il veut se fait les dents sur tout ce qu'il trouve : portes, pieds de table, plinthes, tapis, murs… J'en sais quelque chose. En effet, pour préserver l'harmonie de la vie quotidienne, nous avons toujours refusé de cantonner notre chienne Macy à un espace bien à elle lorsqu'elle était petite.

Un endroit bien à lui

Quel que soit le nom que vous lui donnez – cage, enclos, parc –, l'espace privé de votre chien n'est en aucun cas une prison ! Dès qu'il arrive chez vous, présentez-lui sa nouvelle maison (voir p. 80-81). Il a également besoin d'un espace pour jouer. Là aussi, peu importe le nom : parc à jouer, salle de jeux… Il s'agira d'un enclos installé spécialement pour lui ou d'une petite pièce de la maison, qui peut être la cuisine ou la salle de bains, fermées par une barrière pour enfant. Retirez-en tous les tapis et tout ce qui peut se mordiller. Dans cet espace, vous pouvez aussi installer sa cage (voir p. 87), avec une couverture ou un coussin, un endroit pour faire ses besoins, une gamelle d'eau fraîche et trois jouets creux à mordiller, remplis de friandises.

Le coin toilettes

Lorsque vous allez apprendre la propreté à votre chiot, il devra avoir un endroit où faire ses besoins. Il faut donc en prévoir un pour cela dans son parc. Vous pouvez dérouler un morceau de gazon en rouleau si vous voulez l'habituer à faire dans l'herbe, ou quelques dalles de pierre si vous voulez qu'il apprenne à faire dans le caniveau. L'objectif est que ses pattes s'habituent au contact de la surface sur laquelle il devra se soulager plus tard. Installez au préalable sur le sol de ses « toilettes » un morceau de Vinyl recouvert de plastique.

Le coin sommeil

Vous avez plusieurs solutions. Si le coin sommeil de votre chiot et son parc se trouvent au même endroit, et que vous ne voulez pas vous lever la nuit pour l'en faire sortir (voir p. 92-97), laissez la porte du parc ouverte pour qu'il puisse accéder à son coin toilettes. Si vous le faites dormir dans votre chambre, fermez la porte de son parc et levez-vous pour le sortir afin qu'il fasse ses besoins.

LE CONSEIL DU VÉTÉRINAIRE

Le moyen le plus rapide et le plus efficace pour communiquer et tisser des liens avec votre chien n'est pas un dressage formel mais une attention au quotidien.

Les chiots élevés dehors en chenil ou les adultes ayant vécu en refuge n'ont pas eu l'occasion de se focaliser sur quelqu'un et d'apprendre à réagir quand la personne s'adresse à eux. Leur dressage ne se fait donc pas aussi facilement. Habituez d'abord votre chiot à un espace restreint puis, jour après jour, semaine après semaine, élargissez son champ d'investigation, en le surveillant attentivement quand il est en liberté.

Le chiot est curieux et mange presque de tout. Gardez les aliments qu'il préfère pour les moments où il est enfermé.

Un chiot qui pleure, tremble ou se blottit dans un coin est tendu ou angoissé. Mais ces sentiments peuvent aussi se traduire par des signes plus subtils : il peut, par exemple, détourner le regard d'une personne ou d'une situation stressantes, bâiller, se lécher les babines ou haleter sans raison, ou se figer sur place. La miction de soumission, les gémissements, les hurlements, les aboiements ou l'agressivité sont des manifestations plus extrêmes. Le stress peut provenir d'un événement anodin. Soyez vigilant.

De la cage au parc

Les premiers jours comptent énormément. À la seconde même où il entre chez vous, votre chien a envie de vous faire plaisir, de vous rendre heureux, mais il doit apprendre les bonnes manières. Il n'y parviendra pas si toute la famille n'a pas assimilé les règles du jeu, aussi bien pour vous que pour lui.

Les cages pliantes sont pratiques pour l'emmener chez des amis sans risquer le moindre problème.

Pourquoi utiliser une cage

En tant que vétérinaire, je m'attendais à voir des gens m'amener leur chien pour des problèmes de santé divers. Or, j'ai vite été étonné de constater qu'ils me consultaient tout aussi souvent pour des questions d'apprentissage de la propreté, de marche en laisse, de comportement destructeur, de morsures ou d'aboiement. Je me suis aperçu qu'il était bien plus facile de prévenir les défauts de comportement que de les corriger une fois

qu'ils sont installés. La base de la prévention, c'est une cage et un parc dans lesquels le chiot sera chez lui.

Éduquer le chiot pour qu'il apprenne à considérer sa cage comme un refuge est un jeu d'enfant. Convaincre le reste de la famille et les autres qu'une cage n'est pas une prison l'est un peu moins. Ce qu'il faut avoir en tête, c'est que la cage et le parc (voir p. 87) permettent de confiner le chiot dans un espace plus ou moins restreint suivant le moment et les besoins.

Avec une friandise, vous l'attirerez facilement dans sa cage.

Dans tous les cas, il est limité à un espace dans lequel il est difficile de faire des bêtises. Et moins il en fait à ce stade, plus la vie sera agréable et facile pour tout le monde.

En étant ainsi maîtrisé, il apprendra tout seul à utiliser un coin pour faire ses besoins, à ne pas mordiller n'importe quoi, à se satisfaire de sa propre compagnie. Il ne risque pas de se blesser ou d'être accidentellement blessé par un adulte ou un enfant. Il se prépare à ce qui arrive inévitablement à tous les animaux de compagnie : rester seul.

Comment lui faire aimer sa cage

Si vous poussez votre chiot dans sa cage en refermant la porte derrière lui, ne vous attendez pas à ce qu'il soit content. Vous devez lui apprendre à aimer sa cage. Si vous utilisez un jouet à mordiller contenant une friandise, c'est simple et rapide. Offrez-lui un morceau de foie séché ; la plupart des chiots en raffolent. S'il l'engloutit avec voracité, placez-en un autre morceau à l'intérieur de la cage (installée à l'intérieur du parc) mais laissez-la fermée. Il aura envie d'y aller. Faites-le entrer dans la cage pour qu'il puisse manger la friandise. Ensuite, mettez-en une dans un jouet à mordiller et laissez-le se débrouiller pour l'attraper.

Une fois qu'il a compris ce qu'il fallait faire, recommencez depuis le début. À chaque fois que vous laissez votre chiot dans son parc, laissez le jouet contenant une friandise dans la cage. De cette façon, vous lui laissez le choix entre rester dans l'enclos ou entrer de plein gré dans la cage pour s'emparer de la friandise. Mettez votre chiot dans son enclos quand :

- vous mangez ;
- il mange ;
- vous dormez ;
- il dort ;
- le téléphone sonne ;
- la sonnette de la porte d'entrée retentit ;
- vous sortez ;
- vous avez besoin de faire une pause et de le laisser sans surveillance.

Les repas

Pour lui donner à manger, deux options s'offrent à vous. Dans les deux cas, prélevez sa ration quotidienne et mettez-la de côté. Première option : vous lui donnez presque tout en quatre portions égales au cours de la journée, en mettant sa gamelle dans la cage. Gardez le reste pour remplir les jouets qu'il mordillera entre les repas. Deuxième option, plus efficace et, curieusement, plus naturelle : faire travailler le chiot pour obtenir la totalité de sa ration quotidienne en mettant tout dans les jouets à mordiller. Quelle que soit la consistance, il devra faire un effort pour se nourrir.

Première visite chez le vétérinaire

Au cours des deux premiers jours, emmenez votre chiot chez le vétérinaire pour qu'il l'examine et prescrive le cas échéant un traitement préventif. En effet, si les affections congénitales graves sont heureusement rares, les affections plus bénignes, en particulier les parasites, sont courantes.

Pendant les premiers jours, donnez-lui tous ses repas dans sa cage. Vous l'aiderez ainsi à s'y sentir bien.

Rencontre avec la famille

Vous avez envie que tout le monde, y compris votre chien, partage votre enthousiasme. Toutefois, n'oubliez pas qu'il faut un responsable dans cette affaire. Si vous lisez ces lignes, j'imagine que c'est vous ! Vous êtes le chef de meute ; c'est vous qui gérez et prévenez les problèmes de santé et de sécurité. Face à des enfants turbulents ou aux autres animaux de la famille, ou même aux voisins, votre chien ne réagira pas forcément bien. Il est donc important de veiller à ce que les présentations se fassent dans des circonstances que vous maîtrisez.

Avec les enfants

Avant de confronter votre chien à vos enfants, expliquez-leur que ce n'est pas un jouet mais un être vivant capable de ressentir les mêmes émotions qu'eux. Inscrivez les règles à suivre sur une feuille que vous accrocherez près de sa cage. Suggestions :

- Ne pas prendre le chiot dans ses bras sans l'autorisation des parents. Pas de bagarre pour savoir qui doit le tenir. On ne se l'arrache pas.
- Pas de bruit et d'agitation autour du chiot. Ne pas crier, que ce soit après lui ou après quelqu'un d'autre. On ne court pas autour de lui.
- On ne lui donne pas à manger en dehors de sa cage.
- On ne le réveille pas et on ne le dérange pas quand il dort.
- On ne l'excite pas et on ne l'incite pas à sauter après les gens.

Avec le chien de la maison

Depuis le temps que j'exerce, j'ai dû voir presque 10 000 chiens au cours des premières semaines dans leur nouveau foyer. La famille avait souvent déjà un autre chien et pourtant les querelles territoriales entre celui-ci et le nouveau chien de la famille étaient assez rares.

Malgré tout, il vaut mieux partir du principe que le chien qui occupe déjà les lieux n'appréciera pas, du moins au début, l'agitation du nouvel arrivant ou l'invasion de son territoire par un autre. Il est donc préférable d'organiser une première rencontre en terrain neutre, dans la maison ou le jardin de quelqu'un

La première rencontre avec votre enfant

1 Quand ils voient un chiot, les enfants ont tous envie de le toucher, de le caresser, de le prendre dans leurs bras et de le porter. Mais cela effraie certains chiens. Expliquez à votre enfant qu'il doit rester calme et silencieux en présence de votre chien. La première fois, faites-le s'accroupir délicatement devant lui. Le chien devra être tenu doucement mais fermement avec un collier et une laisse courte.

LE CONSEIL DU VÉTÉRINAIRE

Il existe un certain nombre de situations – le chiot est timide et craintif, il s'excite en jouant, il est sur la défensive parce qu'il est impressionné par un environnement nouveau – où un chiot peut mordre. Qu'il morde pour jouer ou parce qu'il a peur, votre objectif est d'empêcher que cela se produise avec vos enfants ou avec les autres. Pour limiter les risques, habituez votre chien au comportement et aux jeux des enfants. Comportez-vous comme eux. Tapotez-le avec douceur et donnez-lui immédiatement une friandise. Recommencez plusieurs fois, en le récompensant toujours.

d'autre par exemple. N'oubliez pas de bien faire courir votre chien (l'ancien) avant de faire les présentations. En terrain neutre, le chien concentrera son attention sur la découverte d'un nouvel environnement, dans lequel le chiot ne sera qu'un élément parmi d'autres. Laissez-les se découvrir mutuellement et n'intervenez que si l'un d'entre eux vous paraît stressé ou agité. Attachez le chiot à une longue laisse légère (ou à une ficelle) pour pouvoir éventuellement le stopper. De retour chez vous, mettez-les à nouveau en présence l'un de l'autre, après avoir retiré tous les objets avec lesquels le chiot pourrait jouer et ainsi rendre votre chien jaloux. Faites d'abord entrer le chiot et évitez qu'il s'excite un peu trop. Le chien de la maison sera certainement agacé par ses cabrioles.

2 Si le chiot s'approche calmement de son plein gré, dites à votre enfant d'ouvrir la main pour lui montrer la friandise qu'il y cachait et de la lui offrir en récompense.

3 Une fois que le chien a pris la friandise, dites à votre enfant de toucher sans geste brusque la poitrine ou le cou du chien – mais pas le haut de sa tête pour ne pas l'intimider.

4 Quand vous êtes sûr que le chien est à l'aise avec votre enfant, dites à ce dernier de se mettre debout et de récompenser le chien avec une friandise s'il reste calme.

Si vous pensez que le chien de la maison va grogner ou mordre, évitez de faire les présentations dans le jardin et emmenez votre nouveau chien dans sa cage.

Votre chiot a encore le réflexe de se servir de ses dents pour découvrir ce qui est nouveau.

Avec le chat de la maison

Ce sont les chats qui font la loi. Ils ont toujours le dessus sur les chiens et ils le savent. Si votre chat est habitué aux chiens, il va siffler, cracher et essayer de donner un coup de patte au nouvel arrivant, et les liens seront créés pour toujours. Si le chat se sauve et déclenche l'instinct de poursuite chez votre chiot, vous allez avoir des problèmes.

Ne laissez jamais votre chat et votre chiot ensemble. Quand vous ne pouvez pas les surveiller, mettez le chiot dans son parc. Les problèmes peuvent surgir après, quand votre chiot sera propre et qu'il ne sera plus limité à son parc. Un chiot

turbulent, comme le Boxer (voir p. 33), peut s'amuser à guetter le chat et à le faire fuir, ce qui lui donne alors l'occasion de le poursuivre. Dans ce cas, attachez une fine longe au collier de votre chien. Dès que vous avez l'impression qu'il a envie de jouer avec le chat, tenez-le. Il doit apprendre qu'il a le droit de jouer avec les humains et les chiens, mais pas avec les chats.

Tous les chiots mordent

J'adore examiner les dents toutes neuves, blanches et étincelantes des jeunes chiens. À l'origine, elles étaient destinées à garantir sa survie, en lui permettant de capturer, de tuer et de dévorer ses proies (avec des incisives pour découper, des canines pour attraper et tenir, et

Première rencontre avec l'autre chien de la maison

1 L'endroit idéal pour une première rencontre est un terrain neutre, qu'aucun des deux chiens ne considère comme le sien.
Si le temps le permet, organisez-la à l'extérieur plutôt qu'à l'intérieur. Vous devez être deux, chacun tenant un chien.
Au début, faites-les marcher tous les deux en laisse en les tenant très éloignés l'un de l'autre. En principe, ils vont, comme tous les chiens, surtout s'intéresser aux différentes odeurs et à tout ce qu'il y a à découvrir dans un endroit inconnu. Pour les récompenser de s'être comportés normalement, félicitez-les tous les deux et donnez-leur une friandise.

des molaires pour broyer et mâcher), ainsi qu'à assurer sa protection et sa défense. Or, aujourd'hui, on voudrait que les chiens oublient qu'ils ont des crocs et qu'ils s'interdisent de s'en servir, du moins comme arme. Dans la mesure où ils ont besoin de les utiliser, il faut les éduquer pour canaliser ce besoin de façon constructive, en leur donnant des jouets à mordiller, par exemple. Il sera ensuite plus facile pour eux d'apprendre à réprimer l'instinct qui les pousse à mordre et à être gentil avec les autres animaux et avec les humains (voir p. 140-141). Un chiot doit apprendre à ne pas faire mal quand il a encore ses dents de lait. Quand il aura ses dents définitives, vers cinq mois, ce sera trop tard. Les cours pour chiots sont utiles à cet égard, car le chiot y apprend à refouler le besoin de mordre.

LE CONSEIL DU VÉTÉRINAIRE

N'accordez pas certains privilèges à votre chiot « parce qu'il est petit », alors que votre autre chien n'y a pas droit, et ne lui donnez jamais un jouet appartenant à ce dernier. Évitez les séances de dressage en présence de l'autre, car s'il vous entend, vous allez involontairement le dresser à ne pas écouter les ordres que vous lui donnerez par la suite.

Ne changez rien aux habitudes du chien que vous aviez déjà, mais faites en sorte de trouver du temps pour chacun de vos deux chiens. Ne les faites pas manger côte à côte. Installez-les dos à dos (queue contre queue) pour qu'ils ne puissent pas se voir. Si votre chiot est trop turbulent et que votre chien le remet en place, c'est parfaitement naturel. Faites en sorte que cela se passe en votre présence.

Préparer l'avenir

Vous avez envie d'avoir un chien agréable à vivre, qui soit actif quand vous voulez de l'animation et calme quand vous êtes occupé, qui apprécie la compagnie des gens de tous âges, qui soit obéissant mais pas peureux, qui marche bien en laisse, qui ne se serve pas de ses dents pour mordre et qui ait le sens de l'humour. Tout est possible si vous faites participer votre chiot à un maximum d'activités. Emmenez-le avec vous quand vous conduisez les enfants à l'école ou quand vous allez prendre votre café à la brasserie du coin. Faites-lui découvrir la vie. Plus il découvre de choses maintenant, plus votre relation sera agréable.

2 Si aucun des deux ne se montre agressif, réduisez la distance qui les sépare. Certains chiens, comme ceux-ci, vont continuer à ne pas remarquer l'autre et à inspecter ou à flairer les lieux, tandis que d'autres commenceront à s'intéresser essentiellement à leur congénère.

3 Parlez calmement à la personne qui accompagne l'autre chien car c'est un moyen de rassurer les chiens potentiellement nerveux. Une fois que les présentations ont été ainsi faites, il y a moins de chances que le chien de la famille ait du mal à accepter le nouvel arrivant chez lui.

Le chien adopté

Adopter un chien adulte présente de nombreux avantages, surtout si vous ou la personne qui vous l'a confié le connaissez déjà. Certains ont été volontairement abandonnés et leur personnalité, leurs points faibles et leurs besoins sont connus. D'autres sont des voyageurs sans bagages. Compte tenu du nombre de chiens abandonnés – qui sont euthanasiés quand on ne leur retrouve pas de maître –, adopter un chien qui a déjà eu une vie est très gratifiant.

Jouet à mordiller.

Affronter l'imprévisible

Le chien acquiert les bases de la vie sociale avec l'homme avant l'âge de douze semaines. Il apprend à gérer ses relations avec ses congénères et à contrôler ses mâchoires vers dix-huit semaines. Dans ce domaine, mieux vaut prévenir que guérir. Un chien peut très bien passer avec succès l'étape du « test » (vous l'avez choisi parmi d'autres parce qu'il était calme) et s'avérer être tout autre une fois chez vous : il se montre alors exubérant, il saute partout, il tire sur sa laisse et son énergie est sans limites. Des peurs soudaines, accompagnées d'un comportement agressif, ou des phobies peuvent apparaître. Parmi les phobies les plus courantes figure la peur d'être enfermé, y compris dans son parc et dans sa cage. Ce type de comportement est totalement prévisible, contrairement à d'autres réactions irrationnelles. Il résulte d'une mauvaise socialisation pendant les premières semaines, d'un manque de dressage (propreté et obéissance) ou, chez ceux qui n'ont pas été stérilisés, d'une poussée hormonale.

Un chien adulte apporte beaucoup de satisfactions, mais il a souvent besoin d'être rééduqué, ce qui peut être difficile, frustrant et exiger beaucoup de temps. Même si on vous a expliqué au refuge ce qui vous attendait, c'est une fois chez

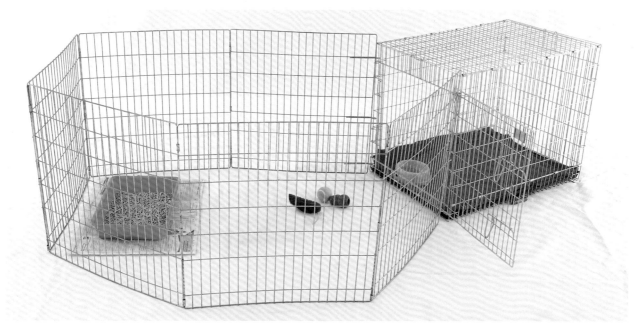

vous que se révèlera toute la personnalité de votre chien et que vous saurez si le courant passe entre vous.

Cages, parcs et jouets à mordiller

Si votre chien est déjà propre et qu'il ne mordille que ses jouets, vous n'avez pas besoin de cage ni de parc. S'il est propre mais que vous ne savez pas jusqu'où peut aller son instinct destructeur, achetez une cage. Dans tous les cas, donnez-lui plusieurs jouets à mordiller. S'il a des mâchoires puissantes, prenez les plus solides que vous puissiez trouver. Certains jouets dans lesquels on peut enfermer une friandise ne résistent pas aux chiens qui savent se servir de leurs dents pour les déchiqueter. Comme le chiot, le chien adulte apprécie les friandises à base de foie. Essayez plusieurs produits pour savoir quels sont ses préférés. Le choix est vaste.

Éviter les accidents

Tous les chiens sont curieux, mais un adulte est à la fois grand et curieux. Partez du principe qu'il va se dresser sur ses pattes pour fouiner partout. Même posés sur le plan de travail, les aliments à l'odeur alléchante sont à la portée du moindre chien capable de sauter suffisamment haut. Mettez hors de sa portée ce qui est fragile, a de la valeur ou est susceptible d'être dévoré. En gros, tout ce qui peut l'attirer ou être dangereux pour lui. Partez aussi du principe qu'il peut s'échapper. Ne le laissez jamais seul dans le jardin si vous n'êtes pas sûr qu'il est occupé et que le jardin est bien clos. Vérifiez notamment qu'il ne peut pas passer par-dessus ou sous la clôture, surtout s'il aime bien sauter ou creuser. S'il est petit, attention à l'espace sous le portail. Celui-ci doit toujours être bien fermé et verrouillé. Faites en sorte qu'il ne puisse pas accéder au tas de compost, aux poubelles et, si vous avez la chance d'en avoir un, au potager. Mettez vos poteries dans un endroit sans danger et ne laissez pas votre chien approcher du barbecue quand vous vous en servez. Indiquez-lui un coin pour faire ses besoins (voir p. 96). S'il a accès à une terrasse ou à un balcon, pensez aux éventuels dangers. Le chien a parfois des capacités surprenantes. Il va forcément essayer de passer sous, entre ou par-dessus les barreaux.

Si le chien adulte que vous allez recueillir n'est pas propre ou qu'il risque de mordiller n'importe quoi, préparez-lui une cage assez grande équipée d'un parc pour jouer.

Questions-réponses

À qui demander conseil ?

L'éducation canine regroupe trois métiers. L'éducateur canin est spécialiste à la fois du comportement des chiens et de la nature humaine. Il doit être en mesure de mettre en place une stratégie d'éducation, ou de rééducation si nécessaire, afin d'améliorer l'écoute et l'entente entre le maître et son chien. Son travail concerne l'obéissance de base et la socialisation du chien. Le dresseur est aussi un éducateur, mais plus spécialisé, et pour des tâches plus précises qui demandent des automatismes et de l'entraînement : mordant, défense, *agility*, chasse, la recherche de truffes, accompagnement d'un handicapé... Le comportementaliste est aussi un spécialiste de la relation homme/chien. Son travail consiste à établir la communication entre le chien et son propriétaire. Il n'est ni dresseur ni éducateur, mais plutôt médiateur entre le chien et l'homme.

Une étape après l'autre

La lune de miel avec votre chien va cesser dès votre arrivée à la maison, ne serait-ce que parce que vous allez désormais devoir faire en sorte que votre nouvelle relation tienne ses promesses. Ce qui implique une approche rationnelle et systématique de tout ce qui va se passer pendant les premières semaines. Vous allez devoir lui imposer une nouvelle hiérarchie pour qu'il vous respecte, vous et votre famille. Vous allez lui présenter vos autres animaux de compagnie, votre maison et votre jardin, vos voisins et votre quartier.

Utilisez un langage du corps rassurant quand vous le rencontrez pour la première fois. Le mieux est de lui caresser le menton.

Le problème de comportement le plus fréquent dans cette situation est l'anxiété de la séparation (voir p. 156-157), qui génère une détresse extrême chez le chien qu'on laisse seul, même peu de temps. Ce problème touche surtout les chiens très affectueux avec leur maître, mais un peu timides avec les étrangers. Si votre chien vous colle tout le temps, qu'il est assez soumis ou qu'il a auparavant été maltraité ou successivement trimbalé dans plusieurs maisons, il risque de souffrir d'anxiété de la séparation. Vous devez donc commencer dès maintenant à le désensibiliser.

Habituez-le à être manipulé

Même un chiot n'apprécie pas forcément qu'on touche certaines parties de son corps. Soyez donc extrêmement prudent avec votre chien. Les premiers jours, essayez de découvrir ce qu'il aime. Plusieurs fois par jour, touchez-lui doucement la tête, le dos et les flancs. Faites attention quand vous lui touchez la gueule, les oreilles, les pattes et la queue. Certains chiens en ont horreur. Mais le fait de poser votre main sur tout son corps renforce votre position de

chef. Il en va de même pour l'étape suivante que constitue le brossage.

Une fois que votre chien accepte que vous le touchiez, soulevez-lui chaque patte pendant une ou deux secondes. Donnez-lui des friandises pour le récompenser s'il obéit calmement. Si votre chien se débat, persévérez avec douceur mais fermeté jusqu'à ce qu'il se tienne tranquille. Il doit comprendre qu'il n'a pas à se contorsionner pour vous échapper.

Proscrivez les mouvements brusques et limitez les séances à quelques minutes. Progressez doucement jusqu'à ce qu'il se laisse prendre la patte, geste qui signifie qu'il n'a aucune envie de bouger. Réapprendre à un chien à se laisser manipuler exige quelques efforts.

QUESTIONS-RÉPONSES

Que faire s'il pleure ou aboie quand on le laisse seul la nuit ?

Jouez avec votre chien, donnez-lui à manger et laissez-le se défouler avant de l'enfermer dans son parc ou dans une pièce. Soyez déterminé. Parlez le moins possible et évitez de le regarder dans les yeux. Mettez des boules Quiès et faites comme si vous n'entendiez pas ses hurlements, ses pleurs ou ses gémissements (prévenez auparavant vos voisins en leur expliquant que vous avez un nouveau chien et qu'il risque d'être angoissé et de faire un peu de bruit les premières nuits). Contrairement au chiot (qui peut en profiter pour vous demander de jouer avec lui, mais il faudra alors rester ferme), le chien adulte sait se retenir la nuit et n'a pas besoin de sortir. Au bout de quelques jours, votre chien aura compris que cela ne sert à rien d'hurler.

Tous les chiens sont curieux. Tenez le vôtre en laisse le temps qu'il se familiarise avec les animaux de la maison.

Une fois que la confiance est établie, recommencez le même processus avec des étrangers pour qu'il apprenne à bien réagir. Vous faciliterez au passage l'intervention du vétérinaire !

Un chien parfait

Votre chien est plutôt calme et sociable, gentil avec tout le monde mais pas trop collant avec vous et il ne réclame pas sans cesse votre attention. Il vous fait la fête mais il vous abandonne rapidement parce qu'il a senti ou entendu quelque chose d'intéressant. Vous avez vraiment de la chance. Vous avez adopté un adulte bien équilibré, facile à vivre. La plupart des chiens adoptés ne sont pas aussi équilibrés sur le plan affectif. Attendez-vous à rencontrer des problèmes les premiers temps, surtout si votre chien a été abandonné ou maltraité. Demandez éventuellement à votre vétérinaire l'adresse d'un bon éducateur canin qui vous aidera à le rééduquer.

Avec les autres chiens

Même si on vous a affirmé que votre chien était bien socialisé avec ses congénères, méfiez-vous des incompatibilités d'humeur. Ma sœur a ainsi hérité de Bill, le chien de ma belle-mère. Je connaissais ce chien

castré de cinq ans, mélange de Lhassa Apso et de Bull-terrier du Staffordshire (voir p. 46 et 32), depuis sa première adoption à l'âge d'un an, et je savais qu'il appréciait la compagnie des autres chiens, avec lesquels il adorait jouer sans aucune brutalité. J'ai donc été très surpris quand ma sœur m'a annoncé que Bill était devenu infernal dès qu'il voyait un autre chien. Il n'avait qu'une envie : l'attaquer et le mordre. Or, son agressivité était circonscrite aux Bull-terriers du Staffordshire ou aux chiens ressemblant à un Bull-terrier, une race inconnue de lui auparavant mais courante dans la région où vit ma sœur. Son

Les chats savent prendre le dessus en sifflant ou en donnant des coups de patte. Soyez tout de même prudent au départ.

comportement s'explique certainement par une expérience qu'il a vécue avant d'être adopté une première fois par ma belle-mère. Pour modifier ce comportement, ma sœur se contente de le sortir dans un parc qui n'est pas fréquenté par ces chiens ! Si elle avait eu le temps, elle aurait progressivement « désensibilisé » Bill en lui présentant un Bull-terrier gentil.

LE CONSEIL DU VÉTÉRINAIRE

Les barrières de sécurité pour enfant sont très pratiques pour cantonner un chien à une pièce ou un étage de la maison. Quand vous avez de la visite, surtout celle de jeunes enfants, le chien peut les voir sans les embêter. Si vous optez pour une barrière de sécurité, vous ne serez pas tenté dans un moment d'énervement d'utiliser la cage ou le parc pour le punir.

Quand vous présentez votre nouveau chien à ceux que vous avez déjà ou à d'autres, faites-le en terrain neutre et sans vous arrêter, du moins au début, pour que les chiens n'aient pas le temps de se mettre face à face. Laissez-les se renifler, mais ne le laissez pas tirer sur sa laisse (voir p. 164-167). S'ils ont juste le poil hérissé, c'est qu'ils sont excités, mais s'ils manifestent leur agressivité par d'autres signes, faites-leur tourner la tête et continuez votre chemin.

Avec le chat de la maison

En général, les chiens et les chats s'entendent bien, à condition que le chat ait un endroit où se réfugier. Mais contrairement au chiot, le chien adopté à l'âge adulte peut avoir chassé les chats toute sa vie. Lors de leurs premières rencontres, qui doivent avoir lieu dans un endroit calme, tenez votre chien en laisse pour que le chat ne risque rien. Si votre chien s'énerve trop, faites-vous

aider. Essayez de trouver la distance critique, à laquelle le chien ne se sent pas provoqué, et réduisez-la progressivement.

Avec les autres animaux de la maison

Assurez-vous que votre chien ne considère pas les petits animaux de compagnie (lapins, cochons d'Inde…) comme un déjeuner potentiel. Faites en sorte que les premières rencontres aient lieu au calme. Ne vous énervez pas. Tenez votre chien en laisse et détournez son attention avec un jouet à mordiller ou avec un jeu. Ne les laissez pas ensemble

sans surveillance, du moins tant que vous ne serez pas fermement convaincu qu'il n'y aura pas de problème, et s'il s'agit de petits animaux, faites en sorte qu'ils aient toujours une sortie de secours.

Avec les voisins

Vous avez sûrement envie que votre chien soit aussi gentil avec vos voisins qu'avec vous. Rendez-leur visite avant de ramener le chien chez vous ; expliquez-leur ce qui va se passer (apportez éventuellement un petit cadeau), qu'il y aura peut-être un peu de bruit les premières nuits le temps qu'il s'habitue à dormir tout seul, et que vous aimeriez

Comment éviter les ennuis

1 Les manifestations d'agressivité sont fréquentes chez les chiens abandonnés dont on ne connaît pas le passé.

En général, l'un des deux essaie d'intimider l'autre. Ce genre de comportement est plus fréquent s'ils sont tenus en laisse.

leur présenter votre chien dans des circonstances choisies pour être sûr qu'ils s'entendent bien. Donnez-leur des friandises pour lui. Quand vous rencontrerez un voisin, tenez votre chien en laisse pendant qu'il lui donne une friandise, en évitant toutefois de le regarder dans les yeux. C'est un bon moyen de le conditionner pour qu'il ait envie de revoir vos voisins et de ne pas aboyer quand ils approchent.

Prévoir l'imprévisible

Parmi les problèmes imprévisibles, les plus difficiles sont les bagarres. Sachez reconnaître le langage du corps annonciateur d'une éventuelle attaque :

LE CONSEIL DU VÉTÉRINAIRE

Si vous en avez la possibilité, faites-vous remettre le dossier médical de votre chien. Idéalement, contactez son ancien vétérinaire, mais ce n'est pas toujours possible avec un chien abandonné. Vous devez donc le faire soigneusement examiner par votre vétérinaire. S'il est tatoué ou porteur d'une puce électronique, pensez à faire modifier les coordonnées du propriétaire. Le vétérinaire vous donnera toutes les informations utiles sur les vaccins, les traitements antiparasitaires, l'alimentation et la stérilisation si l'animal n'est pas stérilisé (voir p. 186-187).

le chien se tient bien droit et immobile, le poil hérissé, la queue tendue et relevée, sans aucun battement de cils, les oreilles aplaties sur la tête, il gronde, il montre les dents, il se jette en avant et, pour finir, il mord. Dès que vous observez l'un de ces signes, éloignez-le. Par la suite, vous apprendrez à conditionner votre chien pour qu'il ne cherche plus la bagarre avec ses congénères (voir p. 164-167).

2 Observez votre chien pour voir s'il a l'intention d'attaquer l'autre. Il peut par exemple s'immobiliser et regarder l'autre fixement, redresser la queue ou avoir le poil hérissé. Si vous sentez la moindre menace, évitez l'escalade dans le langage corporel que votre chien utilise pour manifester son agressivité en le détournant immédiatement de l'autre chien.

La propreté

Le chien est naturellement propre. C'est ce qui a fait son succès auprès de nos ancêtres. Il n'est pas difficile de lui apprendre à faire ses besoins dans un endroit particulier ou de l'emmener plusieurs fois par jour dans son « coin toilettes », puis de le récompenser en lui donnant une friandise, en le félicitant ou en jouant avec lui. Il suffit d'anticiper ses besoins et de le diriger à temps au bon endroit. En fait, vous passez un marché avec lui : il se soulage sur commande et vous lui donnez des friandises et jouez avec lui.

QUESTIONS-RÉPONSES

Que faire s'il mange l'herbe ou dort sur les pavés qui tapissent son coin toilettes ?
Si vous ne pouvez pas installer à l'intérieur un endroit qui ressemble à celui où il se soulage dehors, ou si votre chiot prend ses toilettes pour une aire de jeu, enfermez-le dans sa cage et suivez les instructions données ci-contre dans le paragraphe « Des allées et venues incessantes ».

Les règles de base

Quand vous êtes présent, mettez votre chiot dans sa cage et sortez-le toutes les heures pour qu'il fasse ses besoins. Mettez-le aussi dans le coin toilettes quand il a mangé, bu ou joué, ou qu'il vient de se réveiller. Quand vous êtes absent, laissez la porte de sa cage ouverte pour lui permettre d'aller jusqu'au coin toilettes, dont le sol doit évoquer la sensation qu'il aura plus tard à l'extérieur (voir p. 79). Dehors, tenez votre chiot en laisse jusqu'à

Un chiot n'a aucune raison de salir sa couverture s'il peut accéder à son coin toilettes.

Qu'il fasse sur des journaux ou dans une litière, restez tranquillement à côté de lui le temps qu'il inspecte l'endroit.

l'endroit où il doit se soulager. Une fois qu'il a terminé, prononcez le mot ou la phrase-clé que vous avez choisi. Ne soyez pas avare de récompenses : félicitations, friandises, jouets, caresses. S'il ne s'est pas soulagé au bout de trois minutes, ramenez-le dans sa cage, mais soyez prêt à retourner dans le jardin dans la demi-heure qui suit. Quand il a fini, jouez avec lui.

Des allées et venues incessantes

Sortir le chien. Le faire rentrer. L'apprentissage de la propreté se résume à une corvée. Dès que votre chien se réveille, sortez-le. À chaque fois qu'il mange ou boit, sortez-le dans les vingt minutes qui suivent. Quand vous jouez calmement, sortez-le dans les cinq minutes. Si vous vous êtes bien dépensés, sortez-le immédiatement. L'activité physique entraîne la production d'urine. La fréquence des sorties dépend de l'âge : plus le chiot est jeune, plus il a besoin de se soulager souvent.

Signes annonciateurs

Si votre chien commence à renifler le sol, à accélérer le rythme auquel il marche, à tourner en rond, à gratter le sol ou à

Tenez votre chiot en laisse le temps qu'il soit prêt à se soulager. Il en ira de même une fois adulte.

s'accroupir, c'est qu'il ne va pas tarder à se soulager. Dès que vous le voyez faire, vous ne disposez que de quelques secondes pour l'emmener jusqu'au coin toilettes. Conduisez-le là où vous voulez qu'il fasse en restant le plus neutre possible. Un chiot se laisse facilement distraire. Tout le passionne ! N'en rajoutez pas. Attendez tranquillement et ne le tirez pas. Si votre chiot n'a pas fait au bout de trois minutes, ramenez-le dans sa cage. Attendez vingt minutes avant de répéter l'opération.

LES SORTIES

Faites un tableau que vous afficherez au mur pour que toute la famille sache à quoi s'en tenir. C'est vous qui le sortez, et non lui qui sort. Quel que soit le temps, accompagnez-le.

Âge	Il peut tenir...	Nombre de sorties
8 semaines	2 heures	12 sur 24 h
12 semaines	3–4 heures	6–8 sur 24 h
16 semaines	4–5 heures	5-6 sur 24 h
20 semaines	5–6 heures	4-5 sur 24 h
6 mois	6–8 heures	3-4 sur 24 h
7 mois	12 heures et plus	3 sur 24 h

Comme ce chiot fera plus tard ses besoins dans le jardin, on l'habitue sur de l'herbe à l'intérieur.

chien urine. Il finira par l'associer non seulement au fait d'uriner, mais aussi au besoin d'uriner. Au bout d'un moment, il suffira qu'il entende ce mot pour faire plus vite. Les éducateurs canins appellent cela le conditionnement. Il suffit d'un mot pour déclencher une réaction conditionnée. S'il apprend à uriner ou à déféquer sur commande quand il entend le mot ou la phrase que vous avez choisie, vous pourrez lui demander un jour de se soulager en prévision d'un long voyage ou d'un moment où il devra rester seul à la maison.

Réfléchissez aux mots que vous allez utiliser et choisissez-en un pour chaque fonction, en évitant ceux que vous employez dans vos conversations quotidiennes. N'oubliez pas que toute la famille devra utiliser les mêmes. Ne choisissez pas des mots que certains membres de la famille n'auront pas envie de prononcer devant les autres au parc. Beaucoup de gens disent simplement « Allez ! », « Vas-y ! ».

Conduite à tenir

Restez tous les deux concentrés sur ce que vous faites. Tenez votre chien (adulte ou

Friandises et compliments

Même si les hommes ont un peu de mal, plus le maître réagit avec enthousiasme lorsque son chiot se soulage, plus il apprend vite à faire ce qu'on lui attend de lui, au bon endroit et, plus tard, au moment choisi par lui. « Oui ! », « Super ! », « T'es un bon chien ! », « Bravo, t'es un champion ! » : n'hésitez pas à être dithyrambique et joyeux. Vous devez convaincre votre chiot que ce qu'il vient de faire est extraordinaire. Donnez-lui une friandise, lancez-lui une balle ou jouez au chat. Il doit comprendre qu'il doit d'abord faire ses besoins avant de pouvoir commencer à s'amuser. N'abusez pas des friandises : s'il est intelligent, il comprendra vite qu'il suffit de lâcher quelques gouttes d'urine pour en avoir une et qu'il peut en garder en réserve pour en obtenir d'autres.

Des règles simples

Prononcez toujours le même mot ou la même phrase à chaque fois que votre

bébé) en laisse pour l'emmener jusqu'à l'endroit où il doit faire ses besoins. L'idéal est d'y laisser une trace de sa propre urine (par exemple avec un journal sur lequel il a fait). Laissez-le renifler et inspecter l'endroit. Quand il commence à faire, prononcez votre formule magique. Dès qu'il a fini, sortez le grand jeu. Donnez-lui des friandises, félicitez-le et jouez avec lui. Allez toujours au même endroit. L'expérience tactile qu'il a en foulant le sol est importante. Celui qu'il sent sous ses pattes à ce stade de sa vie deviendra son « substrat préféré », le contact avec une certaine surface (bitume ou herbe par

QUESTIONS-RÉPONSES

Mon épouse refuse que j'utilise une cage ou un parc en prétendant que c'est cruel. Comment l'éduquer autrement ?

Ma femme n'a pas voulu de cage ou de parc pour notre chienne Macy. Elle l'a regretté quand celle-ci s'est mise à s'attaquer aux coins d'un meuble ancien très précieux. La cage peut s'utiliser sur une courte période. C'est le meilleur outil pour apprendre la propreté à un chiot. Si vous

avez des briques en réserve et que vous ne voulez pas utiliser de cage ou de parc, transformez la cuisine en vaste cour de récréation, en prévoyant un coin pour son panier, un autre pour son coin toilettes et un autre encore pour sa gamelle d'eau. Mettez sa nourriture dans des jouets creux à mordiller, spécialement conçus. Dès qu'il se réveille ou arrête de jouer et dans les vingt minutes qui suivent ses repas, emmenez-le dehors.

exemple) déclenchant alors l'envie de faire ses besoins. Votre chien associera cette surface au bien-être qu'il ressent en se soulageant.

Les accidents

Ignorez les accidents qui se produisent dans la maison. Si votre chien fait ailleurs que là où vous le souhaitez, c'est parce que vous n'avez pas réagi à temps. Ce n'est pas de sa faute. Avec un peu d'expérience, cela n'arrivera plus. Quand un accident se produit, vous n'avez pas à vous en vouloir ni à le punir. Une punition lui laisserait croire qu'il ne peut pas avoir confiance en vous.

Si vous êtes témoin d'un accident, prenez votre chiot tout de suite, sans vous énerver, et sortez-le. S'il finit son pipi dehors, félicitez-le. Nettoyez le plus vite possible ses saletés en épongeant le liquide et en passant un produit spécial pour supprimer les mauvaises odeurs. Le vinaigre ou l'alcool dénaturé sont aussi efficaces. Dites-vous bien que si votre chiot a souillé sa cage, c'est à cause de vous. L'espace à sa disposition est peut-être trop important, ou bien il y est resté trop longtemps. Sortez-le plus souvent. Vous allez vite connaître ses limites. Le principe de base est de le récompenser quand il fait bien et de l'ignorer quand il fait mal. Petit à petit, vous allez pouvoir espacer les sorties. Tenez compte de ses besoins. C'est le délai pendant lequel il est capable de contenir sa vessie qui doit vous guider, pas votre emploi du temps. Soyez patient.

Problèmes courants

Certains chiots habitués à faire leurs besoins à l'intérieur mettent longtemps à comprendre qu'ils peuvent faire dehors. Ne vous contentez pas de le poser par terre et d'attendre qu'il fasse. Mettez-lui son collier et sa laisse, même dans un jardin clôturé. La laisse ne sert pas à le tirer ou à le punir, mais à le maintenir près de vous. Restez avec lui jusqu'à ce qu'il ait fait, puis récompensez-le comme d'habitude. Certains chiots se retiennent parce que le sol ne leur est pas familier, parce qu'il pleut ou parce qu'une feuille vient tout simplement de tomber d'un arbre et leur a fait peur. Ils attendent d'être à l'intérieur, où ils se sentent en sécurité, pour faire sur le substrat auquel ils sont habitués. Si cela se produit, enfermez-le dans sa cage et sortez-le plus souvent, en ayant au préalable posé un journal souillé à l'endroit où il doit faire ses besoins.

Félicitez chaleureusement votre chiot et offrez-lui des friandises à chaque fois qu'il s'est soulagé.

Inutile d'être autoritaire

Lui mettre le nez dans ses saletés ne sert à rien. Je considère que c'est la chose la plus idiote et inutile qu'on puisse faire. D'où vient cette idée ? Même si vous vous sentez à tort obligé de le sanctionner, vous prenez le risque qu'il se mette à trembler devant vous, à fuir quand vous vous approcherez, convaincu que vous êtes devenu fou. Quand vous le voyez faire une bêtise, dites « Non ! » d'un ton ferme et emmenez-le au bon endroit. Quand vous découvrez une bêtise, faites comme si de rien n'était. Un chien ne peut pas comprendre que vous êtes en colère à cause de ce qu'il a fait, même si cela remonte à quelques minutes seulement. Ne prenez pas son air de chien battu pour de la culpabilité ; il prend cet air parce qu'il sait que vous allez lui infliger une sanction horrible.

Litière pour chat, gazon et serpillères

Pour moi, ce sont des solutions pour maîtres fainéants. Sortir dans le jardin ou

Les mâles non castrés signalent leur présence en urinant sur les surfaces verticales. La stérilisation réduit ce phénomène.

la rue ne permet pas seulement au chiot de faire ses besoins. Un chien doit être sorti plusieurs fois par jour pour le plaisir de renifler la nature et les gens, rencontrer d'autres chiens et voir autre chose.

L'apprentissage de la propreté à l'intérieur de la maison se justifie pour les petits chiens vivant avec des personnes âgées ou invalides, qui peuvent difficilement sortir souvent. La litière pour chat convient parfaitement, à condition de retirer tous les jours les crottes et les paquets de litière agglomérée par l'urine. Quand aux serpillères, elles risquent de sentir mauvais très vite.

Éduquer un chien adulte

La différence essentielle entre un chien et un chiot, c'est que le chien a parfois besoin de « désapprendre » avant de pouvoir apprendre. Un chien adopté qui n'a jamais fait l'apprentissage de la propreté a néanmoins pris l'habitude de satisfaire ses besoins à sa façon, notamment dans des endroits où vous ne voulez pas qu'il fasse. Ce n'est évidemment pas sa faute. Votre chien a simplement besoin d'apprendre ce que vous attendez

Accrochez ce distributeur de sacs pour déjections canines à la laisse de votre chien ou à votre porte-clés.

Sac biodégradable

de lui. Il va falloir tout reprendre à zéro, comme s'il s'agissait d'un chiot. Surveillez-le quand il est dans la maison et empêchez-le d'aller partout jusqu'à ce qu'il ait pris de bonnes habitudes. Vous pouvez, par exemple, le tenir en laisse en permanence et le sortir toutes les heures. Cela l'aidera à concentrer son attention sur vous et lui donnera envie de vous faire plaisir. S'il doit faire ses besoins à un moment inhabituel, changez éventuellement ses horaires de repas.

QUESTIONS-RÉPONSES

Quand j'étais petit, on mettait le chien dans le jardin et il se débrouillait tout seul. Est-ce vraiment utile de faire tout ça ?

Oui, pour trois raisons. Premièrement, votre chien apprend à se soulager sur commande. Le temps étant devenu plus précieux qu'autrefois, vous serez certainement content que votre chien fasse au moment qui vous arrange. Deuxièmement, si vous êtes à côté de lui, vous pouvez voir s'il a terminé et vous pouvez le laisser gambader sans risque autour de la maison pendant quelques instants, et vous êtes sûr qu'aucun accident ne se produira dès qu'il rentrera. Troisièmement, vous saurez immédiatement que quelque chose ne va pas, et vous pourrez en cas de besoin donner des détails à votre vétérinaire, comme la fréquence, la texture, la consistance et la quantité de fèces et d'urine.

L'apprentissage à plusieurs

Éduquer deux chiens en même temps est impossible. Si vous avez deux chiots ou deux chiens adultes, emmenez-les séparément à l'endroit où ils doivent se soulager. Apprenez-leur à réagir à des mots-clés chacun de leur côté. Félicitez et récompensez chacun en dehors de la présence de l'autre.

La miction de soumission : un problème à part

Si votre chien (chiot ou adulte) urine dès qu'il s'excite ou que vous le touchez, le problème n'a rien à voir avec l'apprentissage de la propreté. Il traduit simplement sa soumission. Le chiot perd en principe cette habitude en grandissant. Si elle persiste, essayez de trouver ce qui déclenche cette réaction (voir p. 158-159).

LE CONSEIL DU VÉTÉRINAIRE

Si votre chien urine plus souvent que d'habitude, il souffre peut-être d'une inflammation de la vessie ou de l'urètre. Dans ce cas, on ne peut pas parler d'accidents. C'est la sensation de brûlure qui oblige le chien à vider sa vessie plus souvent. Consultez immédiatement votre vétérinaire. Si votre chien souffre d'une diarrhée banale (sans traces de sang ni vomissements) qui persiste plus de 24 heures, consultez aussi votre vétérinaire. La diarrhée est en général provoquée par un changement trop rapide du régime alimentaire ou par l'ingestion de quelque chose trouvé dans la nature (une feuille par exemple). S'il est malade, il est normal qu'il perde momentanément ses habitudes de propreté.

Des sécrétions pour communiquer

Le chien adulte urine et défèque pour éliminer les déchets de son organisme, mais aussi pour envoyer des messages visuels et olfactifs aux autres chiens. Pendant l'apprentissage de la propreté, il est important de distinguer les moments où il urine pour se soulager de ceux où il le fait pour marquer son territoire, ce deuxième phénomène ayant une connotation sexuelle. L'apprentissage de la propreté n'y changera rien, mais la stérilisation peut en revanche être efficace.

Le ramassage des déjections

1 Il existe différents systèmes mécaniques pour ramasser les crottes après le passage de votre chien. Mais la solution la plus simple et la plus facile consiste à utiliser un sac en plastique biodégradable.

2 Enfilez le sac comme un gant et ramassez la crotte. Vous ne risquez pas de vous salir la main et vous pouvez facilement vous rendre compte d'un éventuel problème de santé.

3 Retournez le sac par-dessus la crotte et faites un nœud pour le fermer hermétiquement. Jetez-le dans une poubelle, chez vous ou dans des containers spéciaux, pas par-dessus la haie du voisin. Il y a déjà suffisamment de gens qui n'aiment pas les chiens…

Une bonne alimentation

Que doit-il manger ? Les fabricants ne mettent-ils pas trop de produits chimiques dans les aliments pour chiens ? Quelle quantité donner et à quelle fréquence ? L'alimentation soulève autant de questions que les autres aspects de la vie du chien. La nutrition est un sujet important pour l'homme ; elle l'est donc aussi pour son chien. Celui-ci a besoin d'une ration quotidienne de calories suffisante pour rester mince et en bonne santé, avec un complément s'il relève de maladie ou, pour une chienne, si elle est enceinte ou allaite des petits. Les besoins énergétiques du chiot sont particulièrement importants.

Que faire si mon chien mange la nourriture du chat ?

Il sera content et le chat furieux. Les besoins nutritionnels du chat, différents de ceux du chien, ne peuvent être satisfaits uniquement avec de la nourriture pour chiens. En revanche, ceux du chien sont largement satisfaits par n'importe quel aliment pour chat bien équilibré, qui ne présente par ailleurs aucun danger pour lui. Celui-ci contient beaucoup plus de protéines qu'il n'en a besoin, ce qui lui donne un meilleur goût – un avantage si votre chien est difficile.

Un chien doit manger comme un chien

Le chien, comme l'homme, est un prédateur et un charognard opportuniste. Il préfère la viande et la graisse animale, mais s'il n'en trouve pas, il est capable de manger n'importe quoi, y compris des baies et des légumes racines. Un chien peut survivre au régime le plus pauvre, mais ceux que je vois n'en sont pas là. Ils souffrent plutôt d'excès (de viande,

À l'exception des récompenses, donnez-lui à manger dans sa gamelle.

Un chien mince n'est pas seulement plus beau, mais il vivra ausi beaucoup plus longtemps qu'un chien obèse.

de graisse, de calories) et ne se servent pas assez de leurs dents.

Les chiens minces vivent plus longtemps

Dans le nord de l'Europe et en Amérique du Nord, un chien sur trois est en surpoids. Beaucoup sont objectivement obèses. Une étude américaine portant sur quarante-huit Labradors (voir p. 20-21) issus de sept portées différentes et vivant au même endroit, élevés par les mêmes personnes et soignés par les mêmes vétérinaires, a été publiée en 2006. Elle indique que vingt-quatre d'entre eux, libres de manger sans restriction, présentaient des signes d'ostéoarthrose de la hanche dès l'âge dc six ans. Les vingt-quatre autres sont restés minces parce qu'ils ont reçu 25 % de moins de nourriture que leurs frères et sœurs. Chez eux, l'ostéoarthrose de la hanche n'est apparue qu'à l'âge de douze ans. Un chien mince vit en moyenne dix-huit mois de plus qu'un chien qui mange autant qu'il veut. Une bonne alimentation ne doit pas seulement être savoureuse. Pour améliorer la qualité de vie et accroître la longévité de l'animal, elle doit aussi être équilibrée.

Nourrir son chien

Un chiot a besoin de manger pour faire fonctionner son organisme et pour grandir. Les éleveurs commencent à sevrer les chiots vers l'âge de trois semaines. Certains introduisent des aliments solides sous forme de bouillie, d'autres font un mélange d'aliments déshydratés pour chiots et d'eau ou de lait de chèvre. D'autres encore leur donnent des aliments humides pour chiots

Changez son eau tous les jours.

(en conserve ou sous une autre forme) ou leur proposent de la cuisine maison (œufs brouillés, céréales pour bébé…). À six semaines, les chiots sont sevrés (la maman cesse alors de produire du lait) et nourris jusqu'à six fois par jour. À l'âge où ils sont adoptés, ils ont encore besoin de quatre repas par jour. Ils passent à trois repas vers trois mois, puis à deux vers six mois. Les aliments pour chiots, humides ou secs, contiennent plus de calories, de vitamines et de sels minéraux que ceux destinés aux adultes. Utilisez des gamelles lourdes pour la nourriture et l'eau, pour que votre chien ne puisse pas les renverser ou les faire glisser.

Les types d'aliments

Les aliments industriels peuvent être humides (de 75 à 80 % d'humidité), semi-humides (de 15 à 30 % d'humidité) ou secs (de 6 à 10 % d'humidité). Les aliments secs et semi-humides sont en général plus énergétiques car ils contiennent plus de glucides. Les aliments humides (en conserve ou en sachet) contiennent plus de protéines et de graisses animales. L'humidité n'est pas un critère de qualité, mais de commodité pour vous et de saveur pour votre chien. On trouve des aliments pour chiens à tous les prix.

Comme dans beaucoup de domaines, choisissez des ingrédients de bonne qualité, sans vous laisser séduire par les messages publicitaires qui renchérissent le coût du produit. Des aliments bio sont désormais produits aussi bien par des petits fabricants spécialisés que par les grandes marques industrielles.

Les alicaments

Tous les produits sont enrichis en vitamines et en sels minéraux pour satisfaire les besoins nutritionnels du chien. Certaines de ces substances, comme la vitamine E, jouent le rôle d'antioxydants, c'est-à-dire qu'elles empêchent les nutriments de se dégrader ; une fois ingérées et assimilées, elles limitent la formation de radicaux libres qui ont un effet néfaste sur l'organisme. Les aliments destinés aux races de grande taille contiennent des nutriments censés

UN RÉGIME ÉQUILIBRÉ

Exemple de ration ménagère (pâtée maison)

Protéines	70 g de poulet et 30 g de foie de volaille cuits
Glucides	140 g de riz cuit à l'eau
Lipides	20 g d'huile de tournesol, de colza ou de germes de maïs
Sels minéraux	1 pincée de sel iodé et 10 g de moelle stérilisée

Cette pâtée apporte environ 880 Kcal, soit la ration quotidienne pour un chien actif de 10 kg.

Donner à manger

1 Ce moment est une bonne occasion pour lui apprendre à obéir (ou lui rappeler les règles). Faites-le d'abord asseoir pendant que vous préparez son repas.

2 Demandez-lui de ne pas bouger et posez sa gamelle devant lui. Tenez-le éventuellement en laisse pour être sûr qu'il obéira.

protéger le cartilage et le tissu articulaire, ou favoriser sa reconstitution. C'est le cas de la glucosamine. L'intérêt scientifique de ces suppléments n'a pas encore été prouvé, mais aucun effet néfaste n'a été signalé à ce jour.

Les aliments allégés pour chiens en surpoids ou sédentaires, destinés aux races sujettes à l'obésité comme le Labrador (voir p. 20-21), contiennent des fibres insolubles, comme le son de blé ou la cellulose. Les fibres insolubles n'apportent aucune calorie. Les arômes sont généralement d'origine animale ou végétale bien que, curieusement, certaines friandises contiennent des arômes artificiels de fumé ou de bacon parce que leur odeur plaît aux humains qui les choisissent. Des herbes et des plantes aromatiques peuvent être ajoutées soit pour leur arôme soit pour leurs vertus médicinales. Certains aliments, surtout les moins chers, contiennent des colorants synthétiques qui leur donnent un aspect plus brillant ou plus riche. Les fabricants utilisent également des colorants naturels, comme la chlorophylle et le carotène.

QUESTIONS-RÉPONSES

Un chien peut-il supporter un régime végétarien ?

Oui, même si un chien qui a le choix entre des acides aminés et gras d'origine animale et les mêmes acides d'origine végétale choisit en général plutôt les premiers. Un régime végétarien doit en principe être enrichi en vitamine D. Les meilleurs aliments végétariens sont suffisamment enrichis et conviennent parfaitement aux chiens.

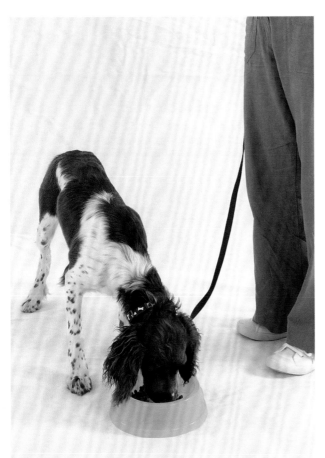

3 Prononcez le ou les mots choisis pour cette circonstance (par exemple « Allez, mange ! »). Il sait alors qu'il a le droit de bouger et de commencer à manger.

4 Stoppez-le pendant son repas en lui donnant d'autres ordres, ce qui vous permettra de mieux le maîtriser s'il se jette sur quelque chose dehors.

Sources d'énergie

Un chien a besoin d'énergie (de calories) pour vivre. Comme nous, il est omnivore (il aime la viande et les légumes) et il trouve cette énergie dans les protéines, les lipides et les glucides. Le chien a également besoin de composés organiques, regroupés sous le terme de vitamines, et de douze minéraux. Certains sels minéraux doivent être apportés en assez grande quantité (sodium par exemple), d'autres en quantités infimes (iode par exemple).

Les carences en vitamines et en sels minéraux sont très rares chez les animaux de compagnie. Les excès sont en revanche plus fréquents car certains maîtres ajoutent à un régime déjà équilibré des compléments inutiles. En donnant trop de compléments à votre chien, vous risquez de provoquer involontairement des problèmes d'origine alimentaire.

Des besoins énergétiques variables

Entre la naissance et le moment où il atteint la moitié de sa taille adulte, le chiot réclame deux fois plus de calories qu'un chien adulte. Pendant la fin de sa croissance, il a besoin d'environ 50 % de plus qu'un adulte. Dès qu'il a atteint sa taille adulte, ses apports énergétiques doivent être diminués. Vous devez réduire

Les carottes contiennent des fibres.

ses rations ou passer d'un aliment pour chiot très énergétique à un aliment pour adulte moins riche. Lors de certaines maladies et pendant la convalescence qui suit, le chien peut avoir besoin d'une alimentation plus riche.

Les acides aminés

Les protéines sont constituées de cellules appelées acides aminés, éléments bâtisseurs de l'organisme. Les chiens ne les synthétisent pas tous. Ceux qu'il ne peut pas synthétiser mais dont il a besoin dans son alimentation sont appelés acides aminés essentiels. Les protéines de bonne qualité, notamment celles de la viande, contiennent les dix acides aminés essentiels dans des proportions équilibrées. Ces derniers sont indispensables au bon déroulement de

QUESTIONS-RÉPONSES

Le goût des aliments et la variété sont-ils importants pour un chien ?

Évidemment ! Même un chien glouton commence par les meilleurs morceaux. Le fait de toujours donner la même nourriture maintient l'équilibre de la flore intestinale et permet la formation de selles bien moulées, mais le chien peut se lasser. S'il vous fait comprendre que sa nourriture ne l'emballe pas, vous pouvez en changer progressivement, à condition de ne pas augmenter le nombre de calories.

l'ensemble des processus métaboliques et fournissent les chaînes carbonées nécessaires à la fabrication du glucose, le sucre qui fournit l'énergie au corps. S'il a le choix, le chien préfère les aliments riches en protéines (en général, la viande).

Les lipides : un concentré d'énergie

Normalement, un chien consomme plus de lipides que l'homme. Les bons lipides proviennent de la graisse animale ou des plantes oléagineuses comme le tournesol. Les lipides sont composés de petites cellules appelées acides gras. Le chien en synthétise certains, mais pas tous. On les appelle

BESOINS ÉNERGÉTIQUES QUOTIDIENS EN KILOCALORIES

	Poids	En croissance	Adulte actif	Au travail	Sédentaire	Senior
Techniquement, une calorie correspond à la quantité d'énergie nécessaire pour porter un gramme d'eau à 1 °C. Une kilocalorie, ou kcal, correspond à 1 000 calories, mais on emploie communément le terme de calorie (abréviation : C) pour désigner une kilocalorie.	2–5 kg	295–590	210–420	210–420	185–370	150–300
	6–10 kg	675–990	480–705	675–990	420–620	345–505
	11–20 kg	1 065–1 665	775–1 180	1 065–1 665	665–1 040	545–850
	21–30 kg	1 725–2 255	1 225–1 600	1 725–2 255	1 080–1 410	885–1 155
	31–40 kg	2 310–2 800	1 640–1 990	2 310–2 800	1 445–1 750	1 180–1 430
	41–50 kg	2 850–3 310	2 025–2 350	2 850–3 310	1 780–2 070	1 460–1 690

acides gras essentiels. Non seulement ils jouent un rôle indispensable dans la structure et le fonctionnement des cellules, mais ils transportent aussi les vitamines lipo-solubles (A, D, E et K). Le chien est aussi friand de graisses que l'homme. Les fabricants d'aliments pour animaux de compagnie veillent à ce que leurs produits en contiennent suffisamment, d'une part car elles sont nécessaires au bon fonctionnement de l'organisme de l'animal, d'autre part car elles ont un goût et une odeur agréables. C'est l'odeur de graisse qui attire le chien vers un aliment.

Le groupe d'acides gras essentiels appelés oméga-3, comme le DHA (acide docosahexanoïque) et l'EPA (acide eicosapentaénoïque) limite les inflammations et favorise l'apprentissage. Les oméga-6, comme l'acide linoléique et arachidonique, sont nécessaires à la santé du poil, à la coagulation et au bon fonctionnement du cœur.

Sucres, amidon et fibres

Les glucides digestibles, généralement fournis par les céréales et les légumineuses, sont une autre source d'énergie. Certains contiennent du sucre (glucose ou fructose en général) absorbé par les intestins, d'autres sont dégradés par les enzymes des intestins et se transforment en sucres.

Les glucides indigestibles ne se dégradent pas ; ils traversent tels quels l'intestin grêle, puis le côlon (gros intestin), où des micro-organismes font fermenter les fibres, donnant naissance à certains acides gras ainsi qu'à des gaz. Ce qui explique pourquoi votre chiot peut parfois empoisonner l'atmosphère. Les glucides indigestibles sont bons pour les chiens car ils ne servent pas seulement à produire des gaz mais aussi à réguler la concentration de glucose sanguin. Ils contribuent également aux défenses immunitaires.

Excès et carences

Les consultations pour carences en vitamines et en sels minéraux sont aujourd'hui plus rares que celles pour excès. Les problèmes les plus courants sont les affections osseuses et articulaires touchant les chiots qui reçoivent trop de calcium. Cela fait trente ans que les méfaits de l'excès de calcium chez les chiots ont été démontrés, mais les éleveurs de chiens grands ou géants conseillent toujours aux gens d'en ajouter à la nourriture de leur chiot. À tort ! N'écoutez pas non plus ceux qui déconseillent aux grands chiots d'emprunter les escaliers ou de courir tant qu'ils n'ont pas fini leur croissance. L'exercice est excellent, même pour un chiot à la croissance très rapide.

Affections dues à une alimentation trop riche	
Excès de :	**Affections**
Vitamine A	Douleurs articulaires, déshydratation, dépression
Vitamine D	Faiblesse, vomissements, diarrhée, poil cassant, perte d'appétit, calcification des tissus mous
Vitamine B6	Faiblesse musculaire et perte d'équilibre
Vitamine B3	Convulsions, selles avec sang
Fer	Constipation, selles avec sang
Iode	Pellicules, écoulement oculaire et nasal

Les friandises sont bonnes pour les dents et les gencives, mais elles sont caloriques.

Friandises à mâcher

Incidents

Pour mes chiens, je choisis des aliments industriels de bonne qualité, testés par des chiens, et je mélange les préparations sèches et humides. Inca, qui a tendance à prendre du poids, mange allégé. Quant à Macy, qui n'était pas obsédée par la nourriture, elle avait une nourriture classique. De temps en temps, je change de marque (progressivement, sur plusieurs jours). En ce moment, j'achète des sachets d'aliments humides (pâtes, petits pois, carottes et viande), auxquels j'ajoute des aliments secs pour grands chiens. J'ai confiance dans l'alimentation industrielle

---

QUESTIONS-RÉPONSES

Les chiens ont-ils besoin de compléments ?

Les compléments nutritionnels constituent un marché florissant. J'y contribue personnellement en prescrivant des compléments anti-radicaux libres (contenant du sélénium, du zinc et des vitamines A et E) aux chiens âgés, des compléments à base d'acides gras essentiels (huile de poisson ou de lin contenant de l'EPA et du DHA) aux chiens souffrant de problèmes articulaires, cutanés ou inflammatoires, et des compléments chondroprotecteurs (glucosamine ou moule verte) aux chiens prédisposés à l'arthrose. Je prescris aussi les compléments à base d'acétyl-l-canitine, de DHA, de vitamines C et E, d'acide alpha-lipoïque, de n-acétyl-cystéine et de co-enzyme Q10 pour stimuler l'activité cérébrale chez les chiots en pleine croissance et chez les chiens âgés.

---

mais je sais que des incidents peuvent se produire. En 2001, beaucoup de chiens britanniques se sont mis à avoir l'haleine qui sentait l'ail. On a fini par se rendre compte qu'un lot de complément de vitamines et de sels minéraux utilisé par plusieurs fabricants avait été contaminé par inadvertance avec de l'ail. En 2007, en Amérique du Nord, on a retrouvé de la mélamine (produit chimique présent dans les plastiques et les engrais) dans des aliments en conserve. La contamination provenait d'une énorme cargaison de gluten, utilisé comme liant dans les aliments humides, originaire de Chine et distribuée à cinq fabricants d'aliments pour animaux. Plusieurs d'entre eux ont aussitôt retiré leurs produits du marché. Des scientifiques canadiens et américains ont également trouvé de l'aminoptérine, un produit chimique toxique, dans certains compléments nutritionnels.

Aliments secs

Cuisiner pour son chien

Vu mon grand âge, j'ai connu une époque où la plupart des chiens étaient nourris avec les restes des repas de leurs maîtres. Ils souffraient alors de carences nutritionnelles. Si vous avez l'intention de cuisiner pour votre chien, ne privilégiez pas la viande. Elle est en effet pauvre en vitamines A et D, et surtout en calcium. En nourrissant son chien exclusivement avec de la viande, on peut le tuer. Évitez le tofu et les haricots, surtout si votre chien a la poitrine très profonde, car ils augmentent la production de gaz et le risque de dilatation-torsion de l'estomac.

Comment éviter qu'il défende sa nourriture

Ne vous étonnez pas si votre chien, chiot ou adulte, monte la garde devant sa gamelle. La nourriture est une chose importante pour lui et il n'y a rien d'anormal à ce qu'il surveille ses gamelles. On peut facilement

Aliments humides

éviter que ce comportement devienne gênant, mais il est plus difficile de gérer la situation si l'habitude est déjà bien installée.

Habituez votre chien à prendre doucement la nourriture dans votre main pour qu'il concentre son attention sur vous. Asseyez-vous, offrez-lui quelques miettes de nourriture sur la paume de votre main, tout en le caressant. Ne lui en donnez pas trop à la fois. Il finira par ignorer votre présence et vos caresses quand il mange. Ensuite, habituez-le à accepter que vous le touchiez et que vous lui retiriez sa gamelle pendant qu'il mange. Restez près de lui et ajoutez une friandise au goût prononcé dans sa gamelle. Mélangez-la à sa nourriture avec votre main. Votre chien sera agréablement surpris de voir sa nourriture prendre un aussi bon goût. Une autre fois, proposez-lui la friandise à la main tout en soulevant sa gamelle ; déposez-y la friandise et redonnez-lui sa gamelle. En faisant cela (tous les jours, puis de façon intermittente), vous apprenez à votre chien à accepter la « perte » temporaire de son repas. Une fois adulte, il est peu probable qu'il se mette à défendre sa nourriture.

QUESTIONS-RÉPONSES

Les os crus sont-ils indiqués pour les chiots ?

Bien évidemment. Le chien est issu d'une espèce qui chassait, tuait et mangeait d'autres animaux, chair et os compris. Les os sont très nourrissants et, en les rongeant, le chien entretient ses dents et ses gencives. Mais, car il y a un mais, j'ai opéré plus de chiens pour leur retirer un os (surtout de poulet ou d'agneau) planté dans l'estomac ou les intestins que pour extraire des objets avalés. Par expérience, je sais que c'est le plus souvent en rongeant des os que les chiens se cassent une molaire.
Si vous voulez donner des os à votre compagnon, commencez dès qu'il est petit pour qu'il apprenne à le faire avec douceur.
Quand il fait chaud, ne gardez pas les os crus plus d'une journée. Un os cru n'est pas toujours très propre. Si vous avez deux chiens, ils essaieront systématiquement de se prendre leur os, même si chacun a le sien. S'ils sont agressifs, ne leur donnez pas d'os quand ils sont ensemble.

LE CONSEIL DU VÉTÉRINAIRE

- Le chocolat noir contient une substance chimique qui peut être toxique.
- L'oignon cru ou en poudre, l'avocat et la pomme de terre crue peuvent être toxiques.
- Dressez votre chien pour qu'il mange uniquement dans sa gamelle ou dans votre main, jamais dans votre assiette ou sur la table.
- Les raisins frais ou secs sont toxiques pour certains chiens. Évitez d'en donner, ou donnez-en en quantité modérée.
- Évitez de manger n'importe quoi. La règle vaut pour votre chien.

- Si votre chien est difficile et qu'il mange mieux dans votre main ou quand sa gamelle est surélevée, demandez à votre vétérinaire de vérifier l'état de ses cervicales.
- Si vous avez deux chiens, donnez-leur à manger séparément, de préférence dos à dos pour qu'ils ne se voient pas manger.
- Vérifiez plusieurs fois par jour que sa gamelle d'eau n'est pas vide et changez-la tous les jours. S'il boit plus que la normale, consultez votre vétérinaire immédiatement car c'est souvent révélateur d'un problème de santé.

Achats et voyages

D'après les sociologues, faire les magasins est le passe-temps favori des Occidentaux, juste avant la marche à pied. Posséder un chien est un bon moyen pour pratiquer ces deux activités de loisirs. Le marché des accessoires pour chiens est florissant. À côté des marques de luxe qui proposent des articles arborant leur logo, on trouve toute une gamme de produits pratiques à des prix raisonnables. Vous n'aurez donc que l'embarras du choix. Quels que soient les articles choisis, ne cédez pas seulement à la mode, mais pensez d'abord et avant tout à votre chien et à leur utilité lorsque vous voyagerez avec lui.

Collier plat clipsable pour chien adulte

Collier semi-étrangleur qui serre le cou quand le chien tire

Collier souple pour chiot, avec boucle

Sellerie pour chiens

Vous avez déjà un collier et une laisse pour chiot. Cependant, votre chien va grandir et son collier devra toujours être suffisamment lâche pour que vous puissiez passer deux doigts, sans pour autant qu'il ne glisse de sa tête. Une fois qu'il a atteint sa taille adulte, vous pouvez utiliser en permanence le même collier ou prévoir un collier pour chaque occasion. Pour les sorties à la nuit tombée, il existe des colliers réfléchissants équipés d'une lumière clignotante. Les licols de type Halti sont parfaits pour les chiens puissants. Quant aux harnais, ils conviennent bien aux chiens petits ou ayant une petite tête.

Les laisses d'un mètre sont utiles, mais si vous ne pouvez pas lâcher votre chien, préférez une laisse plus longue. Si vous optez pour une laisse à enrouleur, apprenez à vous en servir. La plupart des gens finissent par se retrouver emmêlés avec leur chien. Certains préfèrent la chaîne métallique, que le chien ne peut pas mâcher. Mieux vaut apprendre à son chien à ne pas mordiller n'importe quoi : une chaîne est souvent trop lourde pour un chiot. Certains maîtres très organisés ont un sac qui s'accroche à la ceinture, pour transporter tout le nécessaire – friandises, jouet à mordiller et sacs à déjections (voir

Harnais Halti

Harnais de sécurité pour les voyages en voiture

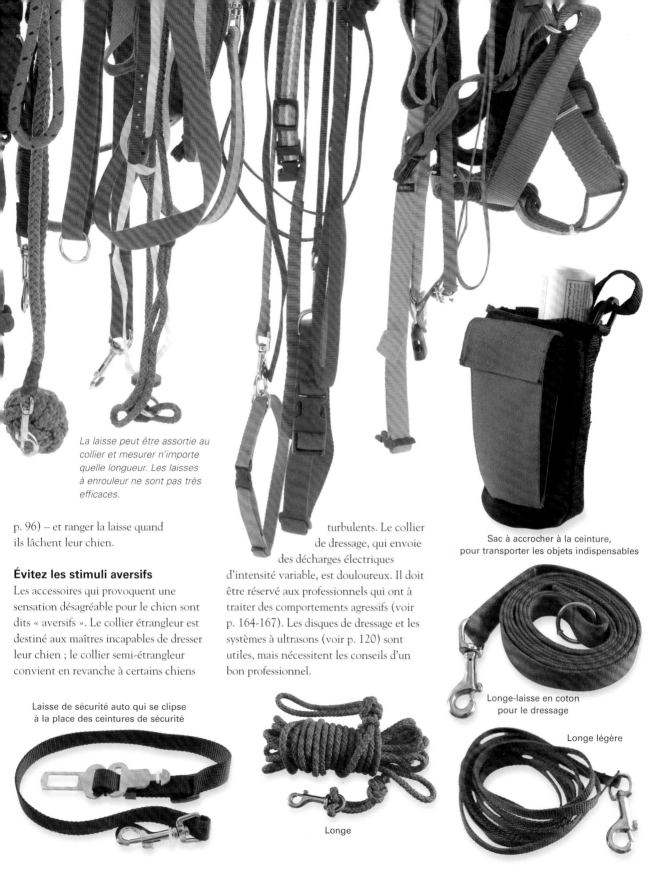

La laisse peut être assortie au collier et mesurer n'importe quelle longueur. Les laisses à enrouleur ne sont pas très efficaces.

p. 96) – et ranger la laisse quand ils lâchent leur chien.

Évitez les stimuli aversifs

Les accessoires qui provoquent une sensation désagréable pour le chien sont dits « aversifs ». Le collier étrangleur est destiné aux maîtres incapables de dresser leur chien ; le collier semi-étrangleur convient en revanche à certains chiens turbulents. Le collier de dressage, qui envoie des décharges électriques d'intensité variable, est douloureux. Il doit être réservé aux professionnels qui ont à traiter des comportements agressifs (voir p. 164-167). Les disques de dressage et les systèmes à ultrasons (voir p. 120) sont utiles, mais nécessitent les conseils d'un bon professionnel.

Sac à accrocher à la ceinture, pour transporter les objets indispensables

Longe-laisse en coton pour le dressage

Longe légère

Laisse de sécurité auto qui se clipse à la place des ceintures de sécurité

Longe

Jouets : le meilleur et le pire

Tout dépend de la taille, de la vivacité et des goûts personnels de votre chien. Proposez-lui plusieurs types de jouets pour voir ce qu'il préfère : des jouets à transporter, d'autres à manipuler pour attraper de la nourriture (voir p. 78-79), ou

Kong

encore à « tuer » ou à « materner ». Évitez ceux qui ressemblent à des objets quotidiens avec lesquels vous ne voulez pas que votre chien joue.

Des jouets pour se distraire

Il s'agit de jouets qui délivrent une friandise quand le chien joue tout seul. Certains (balles ou ballons entre autres) libèrent de la

Os avec des picots

nourriture quand le chien les déplace avec son museau ou sa patte. D'autres comme les Kongs creux ou les os creux doivent être mordillés. D'autres encore, comme les Nylabones ou les Kongs pleins, à mordiller ou à transporter, ont subi un traitement qui leur donne une odeur attractive. Les bouteilles d'eau en plastique vides constituent une distraction appréciée

Jouet muni d'une poignée
pour tirer dessus
ou le lancer

et particulièrement bon marché. On peut y laisser un peu d'eau et laisser le chien chercher comment faire pour la boire. Faites néanmoins attention quand la bouteille est déchirée, car les arêtes du plastique peuvent être coupantes.

Les jouets interactifs

Utilisez-les pour jouer avec votre chien (voir p. 142-145). Choisissez par exemple un Kong fixé sur une corde, une corde munie d'une poignée, un frisbee ou tout simplement une balle de tennis. Les chiens adorent les balles de tennis. Elles ont l'avantage d'être légères, mais les grands chiens peuvent les avaler. Jouer avec son maître est important pour le chien. En se concentrant sur une tâche spécifique (par exemple rapporter une balle ou un Kong, ou chercher une friandise ou un jouet caché), il peut se défouler. Cela lui permet de mieux supporter les moments où il est seul et où vous ne pouvez pas jouer avec lui parce que vous avez autre chose à faire. S'il est jeune ou pas encore éduqué, les jeux interactifs favorisent la socialisation, l'aident à adopter un comportement adapté face aux gens et aux autres animaux, et évitent les comportements inadaptés, par exemple sauter après les gens (voir p. 138) ou se servir de ses dents (voir p. 140).

Les peluches

Les jouets souples que le chien peut transporter partout conviennent parfaitement aux races qui ont besoin de cette activité, comme les épagneuls et les rapporteurs. Chez moi, tout le monde a l'habitude de rapporter des peluches de vacances pour les sept rapporteurs de notre famille. Choisissez des peluches lavables en machine et sans danger pour les enfants de moins de trois ans, même si cela signifie simplement que le garnissage n'est pas toxique. Les peluches ne conviennent pas à tous les chiens.

Donnez-lui un minimum de jouets, en évitant ceux qui ressemblent à vos propres affaires, à vos chaussures par exemple.

Les terriers par exemple cherchent souvent à les secouer pour les « tuer » et les mettent rapidement en pièces. Soyez vigilant avec les peluches qui couinent, car ils ne peuvent pas s'empêcher de chercher la pièce qui fait du bruit pour la détruire. Les femelles, sous l'effet de leurs hormones, prennent aussi l'habitude de faire couiner inlassablement leur peluche.

Attention aux vieilles peluches de vos enfants, surtout celles qui ont des yeux ou des boutons en plastique.

Faites tourner les jouets de votre chien toutes les semaines, en ne lui en laissant que trois ou quatre à la fois. Néanmoins, si votre chien a une préférence marquée, laissez-lui en permanence.

Corde
souple
en coton

Ne transformez pas votre maison en magasin de jouets ! Votre chien risquerait d'apprendre à mordiller n'importe quoi.

Jouet creux
à remplir de
friandises

Ciseaux
à bouts ronds

Gant de toilettage

Brosse
double-face
pour chien

Peigne-brosse
en caoutchouc

Étrille

Accessoires saisonniers et gadgets à la mode

Il existe des lunettes, des casquettes, des gilets, des manteaux en fausse fourrure et toutes sortes d'articles de mode exprès pour les chiens. Mais à qui sont-ils destinés ? Dans certaines circonstances, les vêtements sont indispensables. C'est le cas des cirés pour les chiens dont le pelage n'est pas imperméable, des manteaux réfléchissants pour les promenades nocturnes ou ceux qui accompagnent les chasseurs, des manteaux chauds pour les chiens qui vivent dans une région froide mais qui régulent mal la température de leur corps, ou des bottes pour les chiens qui risquent de s'abîmer les coussins sur des surfaces très accidentées, très froides ou très chaudes. Quand vous achetez ce type d'accessoires, faites-vous plaisir mais essayez de concilier la dignité de votre chien et la mode.

Accessoires pour l'entretien du poil

Même si le poil de votre chien n'exige qu'un entretien hebdomadaire, brossez-le au moins une fois par jour pour qu'il s'habitue à ce geste. Faites-le à différents endroits, dehors et dans la maison. Pour les chiens à poils lisse ou court, une peau de chamois ou une brosse souple suffit. Pour les chiens à poil plus long, utilisez un peigne et une étrille pour démêler les nœuds. Les chiens adorent le contact de la brosse-peigne en caoutchouc, qui élimine le sous-poil mort et frotte la peau.

Utilisez uniquement des ciseaux à bouts ronds si vous devez lui couper des poils. Si votre chien a besoin d'un toilettage plus important ou d'une tonte, adressez-vous à un professionnel. Demandez éventuellement à votre vétérinaire de vous en indiquer un.

Voyager avec son chien

Les chiens sont de merveilleux compagnons de voyage. Ma chienne Macy a été de tous mes voyages : elle a

Les chiens à poil fin et à peau fine comme ce lévrier ont besoin d'être protégés des intempéries.

Brosser son chien sert non seulement à soigner sa peau et son poil, mais aussi à renforcer vos liens.

La trousse d'urgence permet de faire face aux petits bobos.

connu le golfe de Bothnie en Scandinavie et le golfe du Mexique au Mississippi, le lac Ontario au Canada et le lac Balaton en Hongrie, la rivière Yellowstone dans le Montana et le Nemunas en Lituanie, la mer Adriatique en Italie et la mer du Nord en Allemagne. Avec elle, nous avons dormi sous la tente, dans des caravanes et des camping-cars. Si vous prévoyez d'emmener votre chien en voyage, même de courte durée, familiarisez-le dès maintenant à ce qui l'attend. Habituez-le à voyager dans une cage, et si votre voiture est trop petite pour une cage, achetez un harnais de sécurité qui se fixe sur les points d'ancrage des ceintures arrière (voir

En voyage, emportez toujours de l'eau propre et fraîche et une gamelle pour faire boire votre chien.

p. 106-107). Prévoyez une couverture pour protéger la banquette et une serviette de toilette.

La mal des transports

Il est fréquent chez les chiots. Si le vôtre en souffre, conditionnez-le : faites-le monter en voiture, donnez-lui une friandise et laissez-le redescendre. Étape suivante : mettez le moteur en route pendant une minute quand il est dans la voiture, éteignez-le et récompensez-le de ne pas avoir été malade. Ensuite, allumez le moteur, sortez de votre place de parking, revenez-y et récompensez-le de ne pas avoir vomi.

Augmentez progressivement la durée du voyage en voiture jusqu'à ce que vous soyez sûr de sa réaction. Si vous devez précipiter votre voyage, évitez de lui donner trop à manger avant, mais sachez que certains chiens ont besoin de manger un petit peu pour ne pas être malades. Votre vétérinaire peut vous donner des médicaments antinauséeux. Prévoyez néanmoins de quoi nettoyer le chien et la voiture.

Plaque d'identification

Sa valise

Emmenez la plupart de ses affaires (laisse, gamelles, friandises, une grande bouteille d'eau pour le voyage, couverture, peluche, brosse ou peigne, serviette de toilette, sacs à déjections et carnet de vaccination que certains campings exigent). Pour sa sécurité, n'oubliez pas sa plaque d'identification avec votre numéro de téléphone. Évidemment, vérifiez avant de partir que les endroits où vous prévoyez d'aller (y compris vos amis) acceptent les chiens.

Les chiens et la chaleur

Si vous changez de climat, n'oubliez pas que votre chien a autant besoin que vous de s'adapter aux changements de température. Comparés aux humains,

Voyager avec son chien peut être un plaisir, à condition que la voiture soit équipée pour assurer son confort et sa sécurité.

les chiens ont du mal à évacuer l'excès de chaleur. L'homme transpire de tout son corps, mais les chiens ne transpirent que par les coussins de leurs pieds. Certes, ils halètent mais ce n'est pas suffisant. Un chien en plein soleil dans une voiture, vitres fermées et sans climatisation, peut attraper un coup de chaleur en quelques minutes. Cela arrive plus fréquemment quand il fait très chaud dehors, mais j'ai déjà vu des chiens que leurs maîtres avaient laissés dans une voiture en hiver par très beau temps attraper un coup de chaleur. Ne laissez jamais votre chien seul dans une voiture en plein soleil, même avec les vitres entrouvertes. Faites-le surveiller par quelqu'un si vous ne pouvez pas l'emmener avec vous.

Les sorties

Mettez-vous au niveau de votre chien. Vous l'inciterez à rester près de vous et à jouer avec vous lors de ses premières sorties.

Des épidémiologistes ont constaté que les propriétaires de chiens avaient une pression artérielle systolique et un taux de triglycérides moins élevés que les autres. Ils ont attribué le phénomène au simple fait de vivre avec un chien. À tort, puisqu'on a ensuite démontré qu'il s'observait uniquement chez ceux qui promenaient leur chien. Cette activité est donc bonne pour la santé !

Sécurité, surveillance et socialisation

Avant sa première sortie, prenez quelques précautions. Votre chien doit être identifié à la fois grâce à une plaque et grâce à une puce électronique ou un tatouage (voir p. 69). Il a envie de sortir parce que c'est très excitant. Et vous avez envie qu'il sorte parce que vous savez que plus il vivra d'expériences positives et variées aujourd'hui, plus il sera à même d'accepter facilement les situations inattendues plus tard. Marchez

Certains chiens ne supportent pas d'être mouillés. Faites en sorte que les expériences qu'il fait lors de ses premières sorties ne l'effrayent pas.

sur différents types de sols, pas seulement sur l'herbe, les gravillons ou le goudron ; essayez par exemple les sols en marbre brillants. Faites-lui découvrir différents types d'escaliers et de portails, des gens à vélo ou en skateboard, poussant des poussettes, tirant des valises à roulettes ou faisant leur jogging. Faites des virées en voiture et arrêtez-vous dans les stations-service et les stations de lavage de voitures. Prenez les transports en commun. Exposez-le à toutes les sensations qu'un chantier peut offrir : spectacle, odeurs et bruits. La plupart des gens sont attendris face à un chiot, même les hommes. Laissez-les s'approcher et même caresser votre chien.

Gardez le contrôle

Faire découvrir la vie à votre chiot est très amusant, mais ne vous arrêtez pas sans cesse pour parler aux gens que vous rencontrez. Oui, votre chien est magnifique. Oui, il est adorable. Cependant, votre objectif n'est-il pas la promenade ? Pour l'instant, vous

LE CONSEIL DU VÉTÉRINAIRE

Quel que soit l'objet que votre chiot a dans la bouche, même si c'est la crotte d'un autre chien, restez calme. Ne lui courez pas après et ne criez pas, car il risque de le prendre comme un jeu. Et il se fera un malin plaisir à l'avaler. Essayez de trouver quelque chose qui l'intéressera beaucoup plus et de le troquer contre ce qu'il a dans la bouche. Anticipez et emportez par exemple dans votre poche un petit jouet qui couine.

utilisez une laisse courte et vous évitez la laisse à enrouleur (voir p. 106-107) pour des raisons de sécurité. Apprenez-lui à marcher en laisse (voir p. 136-137). Elle doit toujours rester lâche et ne jamais s'emmêler avec celle des autres chiens. Vous en utiliserez une longue pour le dressage plus tard.

Votre chien est tout excité en découvrant le monde extérieur. Ce qui ne va pas sans vous poser quelques problèmes. Il faut le dresser pour qu'il ne saute pas au devant des gens (voir p. 138-139), pour qu'il ne pourchasse pas d'autres animaux. Il va falloir canaliser autrement ces besoins (voir p. 142-145). Les chiens sûrs d'eux adorent être sortis, mais ceux qui le sont moins, surtout ceux qui n'ont pas été socialisés très tôt, peuvent être effrayés dès qu'ils quittent le cocon de votre foyer.

Des rencontres effrayantes

Les chiots ont parfois des raisons d'avoir peur mais il leur arrive aussi d'être effrayés par des banalités (des feuilles qui bougent, par exemple). Ils essaient alors de se sauver, ils se recroquevillent, la queue entre les jambes, ou ils tremblent, les

oreilles rabattues vers l'arrière ; ils se cachent derrière vos jambes ou ils essaient de mordre et grognent. Évitez de réagir de façon maternelle et protectrice en le réconfortant et en le prenant dans vos bras. Car en agissant ainsi, vous renforcez inévitablement son

Tant qu'il n'est pas capable de vous attendre ou de revenir vers vous quand vous lui en donnez l'ordre, tenez-le toujours en laisse, sans tirer.

comportement. N'essayez pas de le forcer à aller vers ce qui l'effraie. Au contraire, ayez l'air enjoué. Prenez un ton joyeux et proposez-lui des jouets, des friandises ou un jeu pour mettre l'accent sur l'aspect positif de ses sorties plutôt que sur leur aspect négatif.

Si cela ne suffit pas, éloignez-le de ce qui l'effraie jusqu'à ce qu'il se calme. Là, donnez-lui des friandises et jouez avec lui pour qu'il reprenne confiance. Si possible, quand ce n'est pas trop compliqué, ramenez-le progressivement vers ce qui lui a fait peur, puis félicitez-le et récompensez-le s'il est détendu, mais surtout pas s'il a encore peur.

Entraînez-le au troc

Avant d'avoir soi-même un chien, on n'a pas toujours conscience de toutes les choses dangereuses qui peuvent traîner dans les rues et les parcs. Il est donc important d'apprendre à son chien à échanger sa « proie » contre une autre quand on veut qu'il lâche quelque chose d'intéressant mais qui peut être dangereux (os de poulet, rongeurs morts, seringues usagées) s'il le mordille ou l'avale. Dès le début, entraînez-le régulièrement et un peu partout à ce genre de troc.

1. Donnez-lui l'un de ses jouets à mordiller, mais sans nourriture à l'intérieur.
2. Tendez-lui une friandise appétissante, au foie par exemple. Au moment où il lâche le jouet pour la friandise, dites-lui « Lâche ».
3. Recommencez l'exercice plusieurs fois de suite, plusieurs fois par jour. Dès qu'il obéit bien, faites-lui lâcher un objet qu'il aura plus de mal à abandonner – par exemple un jouet à mordiller contenant un biscuit – toujours contre une friandise au foie.
4. Une fois qu'il a bien compris et qu'il obéit volontiers, passez à des choses que vous ne voulez pas qu'il mange, par exemple un déchet trouvé dans la rue. Faites-lui faire cet

Ayez toujours une friandise à portée de la main pour l'échanger avec un objet que votre chien ne veut pas lâcher.

QUESTIONS-RÉPONSES

Puis-je laisser mon chien mordiller des branches ?
Non. Elles peuvent occasionner des blessures. Le chien peut se transpercer la gorge, provoquer une infection et nécessiter une intervention chirurgicale délicate. Il peut avaler des morceaux de branche et souffrir, et une opération sera nécessaire pour les retirer de son estomac ou de ses intestins. Les éclats de bois peuvent aussi, ce qui est moins dangereux, se planter dans le palais et provoquer une infection si on ne les retire pas tout de suite. Mieux vaut donner à son chien un jouet à mordiller (Kong ou os creux). Voilà pour la réponse du vétérinaire. Cela ne m'a pas empêché de laisser ma chienne mordiller des branches. Elle adorait transporter une grosse branche et la ronger jusqu'au bout. Cependant, je la surveillais toujours, tout comme je le faisais quand elle rongeait un os. Certains me désapprouveront, mais le danger étant partout, je considère que le plaisir que le chien éprouve est supérieur au risque potentiel.

exercice avec tous les membres de la famille, y compris les grands enfants, pour qu'il « troque » avec tout le monde. Si vous n'avez pas d'enfants, prenez ceux de votre entourage. Le problème est plus délicat avec les chiens déjà adultes, qui peuvent défendre avec agressivité leur « proie ». Dans ce cas, ne demandez pas à des enfants de participer au dressage tant que vous n'êtes pas certain que le chien ne les mordra pas.

Les cours pour chiots

Participer une fois par semaine à un cours pour chiot me semble être un excellent moyen d'investir du temps et de l'argent. Ces cours sont généralement réservés aux chiots de moins de seize semaines. Le plaisir de voir d'autres maîtres accompagnés de toutes sortes de chiots vaut bien le prix d'une inscription.

Jouer à « se passer les chiots » est un bon moyen de les habituer à être manipulés par des étrangers.

Les cours (les appellations sont variables : école des chiots, classes pour chiots…) peuvent se dérouler dans la plus totale confusion s'ils ne sont pas bien gérés. Bien organisés, ils permettent à l'inverse au chiot de rencontrer d'autres jeunes chiens et d'autres gens dans un cadre bien délimité. Les maîtres y apprennent en fait à éduquer leur compagnon.

Respectez votre voisinage

Avant de sortir votre chiot, prenez connaissance de la réglementation en vigueur dans votre ville et évitez de l'enfreindre. Si vous pensez qu'elle n'a pas de sens, qu'elle est bêtement anti-chiens (c'est souvent le cas), essayez de faire entendre votre voix. Les gens qui pratiquent le lobbying anti-chiens sont très acifs et savent se faire entendre, tandis que les propriétaires de chiens ne se manifestent guère tant qu'on ne porte pas atteinte à leur liberté. Dites-vous que beaucoup seront prêts à vous suivre si vous considérez que votre droit et celui de votre chien à circuler librement se trouve restreint. Quoi qu'il en soit, emportez

Un chien bien éduqué reste calme face aux étrangers, même lorsqu'ils ont un jouet à la main.

toujours avec vous des sacs à déjections canines pour ne rien laisser derrière vous. Si vous avez oublié votre sac, prenez ce qui vous tombe sous la main. La plupart des « anti-chiens » sont en fait « anti-crottes de chiens ». Ne laissez pas non plus vagabonder votre chien.

Il se salit

Plus votre chien est poilu, plus il va se salir dehors. Prévoyez une serviette de toilette pour l'essuyer quand il pleut ou qu'il neige. Trempez-lui les pattes dans une bassine d'eau si elles sont pleines de boue et douchez-le pour le dessaler après un bain de mer ou une promenade dans les rues salées l'hiver. S'il se roule dans des crottes de renard (dont les chiens adorent en général l'odeur), faites-lui un shampoing, pas seulement pour faire disparaître l'odeur épouvantable qu'il dégage, mais aussi pour éviter qu'il n'attrape la gale.

Il reste seul dans le jardin

Si vous avez la chance de posséder un jardin, vous allez pouvoir y laisser votre chien tout seul, avec des jouets pour s'amuser, de l'eau et un coin ombragé. Ma

chienne Macy passait ses soirées dans le nôtre, couchée sur le dos, les pattes en l'air, à écouter les oiseaux chanter et à contempler la nature. Je sais qu'elle était aussi à l'affût de tout, et s'il se passait quelque chose d'intéressant derrière la haie, elle s'approchait pour mieux voir. Avant de laisser votre chien tout seul dans votre jardin pour la première fois, vérifiez bien qu'il ne peut pas s'en échapper. Retirez tout ce qu'il pourrait manger, y compris ce qui ne se mange pas, comme les produits chimiques pour le jardinage et la piscine.

ÉVITER LES FUGUES

La clôture anti-fugue sans fil

Elle apprend au chien à ne pas dépasser une certaine limite quand son collier émet un signal sonore. S'il la dépasse, il reçoit une décharge électrique. Si le chien est mouillé, elle peut être importante. Ce type de clôture « invisible » ne protège pas votre chien des animaux qui peuvent pénétrer en toute impunité dans votre jardin ou des voleurs de chiens, et il ne peut pas fuir un éventuel danger sans souffrir. Une vraie clôture est plus humaine et plus efficace.

Chapitre 3
L'éducation de base

Les bonnes habitudes

Votre chien vient d'arriver chez vous. Il a son coin à lui, de quoi manger et de quoi jouer pour se faire les dents. Chacun sait ce qu'il a à faire et adopte une attitude cohérente pour l'amuser et lui apprendre la propreté. Quelle chance ! Car si l'éducation de base est assez simple et logique, la vie de famille ne l'est pas vraiment. Chacun, y compris le maître, peut faire capoter l'éducation d'un chien en lui apprenant involontairement à faire exactement l'opposé de ce qu'il doit faire. Il suffit de connaître les bases de l'éducation canine pour minimiser et corriger ses erreurs.

QUESTIONS-RÉPONSES

Si je n'arrive pas à le dresser, dois-je investir dans un système électronique d'aide à l'éducation ?
Non. Si vous ne parvenez pas à le dresser, c'est que vous vous y prenez mal. Ce n'est pas la faute du chien. Réfléchissez à vos éventuelles erreurs. Vous n'êtes ni coupable ni incompétent. Il est normal de rencontrer des problèmes, et il n'existe pas de recette-miracle. Faites-vous éventuellement aider par un professionnel.

Forger le caractère

Le comportement du chien se forge tout au long de sa vie, mais les habitudes se prennent vite, surtout lorsque l'animal en tire satisfaction. L'apprentissage se fait aussi bien de façon active que de façon passive. Les expériences passives sont celles de la vie quotidienne, qui apprennent au chien à réagir. Dans ce cas, vous devez maîtriser son environnement. La cage est alors un outil indispensable, car elle vous permet de garder le contrôle même sans surveillance.

Les expériences actives regroupent tout ce que vous lui faites faire au cours des séances quotidiennes de dressage. Ce sont les moments où vous lui apprenez qu'il peut prendre plaisir à venir quand on l'appelle, à s'asseoir et à ne pas bouger, à marcher en laisse, à ne pas sauter sur les gens et à ne pas se faire les dents sur eux ou sur vos meubles…

Bons comportements

Toute sensation agréable pour le chien est un stimulant. Certains stimulants (une bonne friandise) sont plus forts que d'autres (des paroles gentilles). Dans la vie quotidienne, ils sont nombreux : nourriture, jouets, personnes qu'il apprécie, câlins et caresses, ton de votre voix, certains mots, expressions de votre visage ou possibilité de sortir dehors. Il existe un autre stimulant puissant, que l'on a tendance à oublier, c'est la fuite devant une situation désagréable. Si votre chien est effrayé par un enfant en skateboard et qu'il

N'oubliez pas que vous êtes plus grand que votre chien et qu'en vous mettant debout au-dessus de lui, vous pouvez l'impressionner.

Aujourd'hui, un bon éducateur n'utilise plus la punition pour dresser les chiens, mais la récompense, comme ces friandises au foie.

QUESTIONS-RÉPONSES

Les jeux de traction peuvent-ils rendre un chien dominant ?

L'immense majorité des chiens adorent les jeux de traction tout simplement parce qu'ils leur permettent d'interagir avec leur maître (ou un autre chien), de se dépenser physiquement et de faire fonctionner leur cerveau. Quoi qu'il en soit, gardez ces jeux pour la fin des séances de dressage et ne laissez pas votre chien gagner à chaque fois. Mettez fin au jeu en échangeant par exemple le jouet sur lequel il tire par une friandise, pour lui montrer que ce jouet vous appartient. Évitez ces jeux uniquement si votre chien a une tendance à l'agressivité liée à son caractère dominant.

Ce chiot qui lèche le visage de son maître est certes mignon, mais il est en train d'apprendre à sauter au visage des gens.

se sauve, sa fuite lui permet de se sentir mieux. Elle renforce la réaction de fuite. Pour dresser votre chien, utilisez des stimulants positifs forts, comme la nourriture et les jouets ; associez-les à d'autres moins puissants, comme les caresses et le ton de votre voix. Plus tard, votre compagnon réagira uniquement à votre voix.

Veillez en permanence à ne pas user de stimulants négatifs. Tous les maîtres y ont recours inconsciemment et le regrettent ensuite. Certes, un comportement peut toujours être corrigé, mais il est plus facile de ne pas donner une mauvaise habitude que d'avoir à la faire perdre ensuite. En matière d'éducation, mieux vaut prévenir que guérir.

Une relation chaleureuse

La base d'une éducation efficace, c'est la relation de confiance que votre chien entretient avec vous. Si elle est positive, l'éducation ne posera aucun problème. Si vous perdez votre calme et que vous passez vos nerfs sur votre chien, que vous avez recours aux corrections et aux punitions, celui-ci obéira parce qu'il aura peur, non parce qu'il aura envie de vous faire plaisir. Votre chien doit non

LE CONSEIL DU VÉTÉRINAIRE

Difficile de réagir comme il le faudrait face à un chien stressé. Rappelez-vous qu'un animal n'est pas un enfant. Tous les jours, je vois en consultation des chiens qui n'ont qu'une envie : se sauver. Le chien se blottit derrière son maître, lequel le cajole pour le rassurer. Ou bien il gronde après moi, et le maître prend une voix douce et maternelle, en le caressant. Dans les deux cas, le comportement craintif du chien est récompensé. Certes, j'en fais parfois autant, mais dans une moindre mesure (même si les maîtres n'approuvent pas forcément mon geste !) : quand un chien me regarde fixement parce que je lui ai donné des friandises lors de ses précédentes visites, je le récompense en lui en offrant une autre. Mauvaise habitude, j'en conviens.

LES STIMULI AVERSIFS

Quand on dresse son chien, on cherche plus souvent à lui interdire de faire ce qu'on ne veut pas qu'il fasse qu'à lui demander de faire ce que l'on veut. On se fâche et on le punit quand il ne comprend pas. On trouve sur Internet et dans certaines animaleries des stimuli dits « aversifs », comme les colliers qui envoient des décharges électriques, garantissant aux acheteurs un dressage rapide. Or, ces appareils sont destinés uniquement aux maîtres qui cherchent à dresser négativement leur chien. Ils ne

permettent pas de régler les problèmes de comportement en eux-mêmes, mais seulement leurs conséquences. En punissant le chien (physiquement ou mentalement) de façon systématique quand il vous désobéit, le problème s'aggrave. Il est préférable d'identifier la cause d'un comportement indésirable. Cherchez par exemple pourquoi il ne vient pas quand vous l'appelez. La récompense qu'il obtient s'il revient en vaut-elle la peine ? Il existe aussi des aversifs moins violents, comme les disques et les pistolets à eau, dont

le seul intérêt est de détourner une seconde l'attention du chien de ce qui le distrait, ce qui vous laisse le temps de reprendre en mains la situation. Si vous utilisez ce genre de système, faites-vous conseiller par un bon éducateur canin.

Disques de dressage pour attirer l'attention du chien

seulement être assuré de votre attitude et de vos gestes, mais aussi se réjouir à l'avance.
Au tout début de votre relation, votre chien adulte n'aura pas encore compris que vous étiez formidable ; il a peut-être besoin d'un peu de temps pour oublier les mauvaises expériences passées, surtout s'il a été abandonné. Ne cherchez pas à vous imposer, mais ne soyez pas pour autant à genoux devant lui.

Ne l'obligez pas à soutenir votre regard. Vous risquez de l'effrayer, ce qui est contre-productif. Si vous êtes de mauvaise humeur, arrêtez la séance de dressage. Rien ne sert de vous énerver.

Décodez le langage du corps

On peut facilement commettre des erreurs de dressage en interprétant mal le langage corporel du chien. Tout le monde est capable de reconnaître les signes évidents de peur, d'inquiétude et de soumission : regard désespéré et oreilles plaquées vers l'arrière, queue ramenée sous le corps, position couchée sur le dos, miction de soumission.
Il importe de guetter également les signes moins évidents de stress

(halètement, bâillement, regard fuyant). S'il remue la queue, le chien n'est pas forcément joyeux ; il peut aussi être inquiet ou craintif. Si vous observez l'un de ces signes pendant une

LE CONSEIL DU VÉTÉRINAIRE

Le chien a besoin d'être stimulé. En arrivant chez vous, il est comme une toile vierge en attente d'être peinte. Encouragez-le et il adorera les séances de dressage, qui devront toutefois être courtes et fréquentes. Saisissez toutes les occasions pour l'éduquer. Le faire asseoir avant de lui donner à manger compte pour une séance de dressage. Choisissez bien l'endroit où vous le faites travailler. Commencez toujours dans un endroit calme, où vous le contrôlerez mieux parce que les distractions seront peu nombreuses. Soyez réaliste. C'est un chien que vous êtes en train de dresser, c'est-à-dire un être sensible, sociable et très docile, mais pas un humain. Demandez à votre vétérinaire de vous montrer un scanner de tête de chien. Si le crâne est imposant, le cerveau n'est pas bien gros, ce qui explique que ses facultés soient parfois limitées.

Pour un chiot, le simple fait d'être pris dans les bras est une récompense. Sa maîtresse renforce aussi son autorité.

séance de dressage, votre compagnon est stressé. Arrêtez et passez à autre chose. Le stress perturbe l'apprentissage. Essayez d'identifier ce qui le génère et évitez de le confronter une nouvelle fois au stimulus qui l'a déclenché.

La bonne récompense

Essayez de trouver quelle récompense plaît le plus à votre chien, mais ne la distribuez pas sans raison. Il doit toujours la mériter. La nourriture est en général, mais pas toujours, la meilleure récompense pour un chien. Ayez toujours plusieurs types de friandises sous la main, en gardant les meilleures pour le récompenser quand il a réussi quelque chose de très difficile. Les friandises préférées sont en général celles à base de foie séché. Les petits cubes de fromage et de viande déshydratée (poulet, bœuf, agneau) sont aussi très appréciés.

Pour ceux que la nourriture n'intéresse pas, la récompense peut être une balle ou un jouet qui couine. Certains terriers adorent cela. Les jeux de traction sont aussi une belle récompense pour certains chiens. Ne surestimez pas la valeur de votre affection pour votre compagnon, car il est rare qu'un chien se satisfasse de la bénédiction de son maître. Ce n'est qu'un plus.

Le matériel de base

Vous avez déjà acheté plusieurs articles destinés à l'éducation de base (voir p. 108-109). Pourtant, vous êtes tenté par des accessoires plus sophistiqués vendus sur Internet ou dans les animaleries, et vantés pour leur efficacité en matière d'éducation canine. Argument fallacieux, s'il en est ! La plupart de ces accessoires utilisent inutilement la peur ou la douleur pour faire obéir le chien. Si certaines situations exceptionnelles exigent le recours à ce genre de systèmes, ils doivent être mis entre les mains d'éducateurs expérimentés, qui savent exactement quand et comment les utiliser.

La longe est un investissement indispensable. Il s'agit d'une corde en nylon de 10 mètres de long, équipée d'un mousqueton à une extrémité et d'un gros nœud à l'autre, qui permet de bloquer la corde quand elle vous glisse sous le pied. Tant que votre chien ne vient pas systématiquement vers vous quand vous l'appelez ou qu'il ne s'arrête pas sur commande, attachez la longe à son collier pour qu'il ne puisse pas s'approcher des meubles, franchir une porte, ou aller plus loin que le haut de l'escalier.

La main gauche posée sur le collier incite le chien à ne pas bouger. La friandise l'oblige à se mettre dans la bonne position.

Se faire aider

Le législateur nous impose de prendre des leçons de conduite pour avoir le droit de prendre le volant, mais personne n'exige que nous prenions des cours pour élever nos animaux de compagnie. A-t-on toujours conscience des dégâts que cela peut entraîner ? Pour ma part, j'imposerais bien des cours d'instruction pour les futurs « parents » d'un chien. En attendant, vous pouvez toujours consulter cet ouvrage et vous laisser guider par l'expérience, mais n'hésitez pas à vous faire aider. Une seule heure avec un éducateur efficace peut faire des merveilles.

NE PERDEZ PAS DE TEMPS

La première année du chien correspond à bien des égards aux 16 à 18 premières années de l'homme. Vous viendrait-il à l'idée de commencer l'éducation de votre enfant à la fin de son adolescence ? Plus le chien est jeune, plus il est facile à dresser. Vous pouvez certes attendre six mois avant de l'inscrire à un cours d'éducation canine, mais vous passerez beaucoup de temps à lui faire perdre ses mauvaises habitudes.

QUESTIONS-RÉPONSES

Dois-je me séparer de mon chien pour le faire dresser ?
Non, si le dressage consiste simplement à lui inculquer les règles de base de l'obéissance. Il en reviendrait en ayant appris à obéir à l'éducateur canin, mais pas à vous. Parfois, il est nécessaire de se séparer de son chien pour le faire dresser à une tâche bien particulière – par exemple le rapport, s'il s'agit d'un chien de chasse. Ceux dressés pour aider les handicapés reçoivent une formation spécialisée, mais leurs futurs maîtres sont invités à venir au centre de formation quelques jours avant la remise du chien pour que celui-ci s'habitue à leur obéir.

La personne qui le promène m'a proposé de le dresser. Dois-je accepter ?
Vérifiez d'abord ses compétences. S'il a un diplôme d'éducateur et qu'il utilise des méthodes de renforcement positif, qu'il accepte de vous former aussi pour que votre chien vous obéisse à tous deux, et que vous en avez les moyens, pourquoi pas ? Mais cela doit rester des leçons particulières, car on ne peut pas dresser un chien quand on en promène d'autres en même temps.

Une relation à trois

L'objectif de toute forme d'éducation canine est d'améliorer la relation entre le chien et sa nouvelle famille. Les voisins en profitent par la même occasion car ils ne se trouvent plus confrontés à un diable, mais à un animal obéissant et discipliné. Un bon éducateur sait créer instantanément un lien avec le chien, et celui-ci devient vite réciproque. Le plus difficile et le plus important pour l'éducateur est d'établir une relation harmonieuse avec le maître.

Si votre chien est adulte, faites appel à un éducateur canin ou à un comportementaliste (voir ci-contre). Si vous en avez les moyens, investissez dans des cours particuliers pour démarrer. C'est la solution idéale. Les éventuels problèmes sont ainsi rapidement identifiés et un programme sur mesure peut être établi. Vous pouvez ensuite passer aux cours collectifs, moins chers, mais également efficaces. Il est préférable de suivre des cours

La présence de plusieurs chiens permet de mieux leur apprendre à écouter.

d'obéissance en milieu réel, en compagnie d'autres chiens. Si vous avez un chiot, je vous conseille de vous inscrire à un cours hebdomadaire pour chiots, pour un cycle de six à huit semaines.

Les cours pour chiots

Dans les cours pour chiots, on prend du plaisir – plaisir associé pour le chien à l'acquisition de valeurs importantes. Le chiot acquiert des compétences sociales, avec ses congénères comme avec des gens de tous âges, dans un contexte rassurant et sans risque. Les chiots apprennent vite. Ceux qui sont timides et craintifs prennent de l'assurance. Les querelleurs apprennent à être plus souples. Les meilleurs cours sont ceux qui mêlent règles élémentaires d'obéissance et socialisation. Tout le monde (chiots et accompagnants) apprend à écouter, à ignorer les distractions et à obéir aux ordres simples (pas bouger, au pied, assis, couché). On y enseigne aussi comment éviter et surmonter les éventuels problèmes.

Ce jouet qui couine retiendra l'attention de votre chien.

Choisir un cours et un éducateur

Malheureusement, n'importe qui peut faire imprimer des cartes de visite à son nom, louer un local et se proclamer éducateur canin. Sachez que chaque chien a besoin d'une approche personnalisée du dressage. Un chien qui manque d'assurance a besoin de douceur, tandis que celui qui en a davantage ou qui est querelleur a besoin de fermeté et d'autorité.

Faites-vous votre propre jugement en fonction de votre situation et de vos attentes. Choisissez un éducateur affilié à une fédération qui préconise des méthodes de dressage par le renforcement positif et qui soit garante d'une certaine éthique.

Bons et mauvais cours

Les chiots adorent les cours bien structurés, où on leur donne des jouets et des friandises, où on exige qu'ils soient attentifs, mais où on les laisse aussi jouer en liberté. Un éducateur efficace a confiance en sa méthode et les progrès des chiots sont évidents et rapides.

Un mauvais cours est un cours où le dressage repose sur la peur ou la douleur et sur la domination du maître, à qui on apprend entre autres à tirer brutalement sur la laisse ou à secouer le chiot pour lui rappeler qui commande.

Observez avant de vous engager

Que vous cherchiez un éducateur pour un chiot ou un chien adulte, demandez conseil à votre vétérinaire, à des fédérations d'éleveurs, à la Commission nationale d'éducation et d'activités cynophiles (CNEAC) ou à d'autres propriétaires de chiens pour voir comment se déroule un cours avant de signer. Renseignez-vous sur les points suivants :

- L'éducateur possède-t-il un diplôme et est-il assuré ?

- A-t-il l'air de vraiment aimer les chiens ?
- Utilise-t-il des méthodes de renforcement positif ?
- Les chiots présents semblent-ils heureux ? Sont-ils sous contrôle ?
- Y a-t-il suffisamment d'éducateurs pour le nombre de chiens ?
- Les conseils et les instructions sont-ils donnés clairement ? Y a-t-il des consignes écrites à suivre à la maison ?
- L'éducateur a-t-il une approche différente suivant la personnalité des chiens ?

Vous devez pouvoir répondre à toutes ces questions par l'affirmative. Pour un bon éducateur, il n'existe pas de race ou de mélanges de races réputés impossibles à dresser ou agressifs. S'il préfère ne pas travailler avec certaines races, il doit en principe vous adresser à quelqu'un qui les accepte. Méfiez-vous des promesses irréalistes. Si vous avez l'impression que le cours ne vous convient pas, ne signez pas. Si vous n'appréciez pas les méthodes utilisées, trouvez un autre club ou un autre éducateur.

La bonne pratique

1 Dans un cours bien fait, le chien et l'éducateur prennent tous deux un plaisir manifeste à travailler. Ici, le chien est parfaitement attentif à l'éducateur. Il a envie de lui faire plaisir.

2 L'éducateur n'adopte pas une posture qui risque d'intimider le chien. Son langage corporel reste positif et détendu pour récompenser le chien quand il obéit bien.

Le *clicker-training*

Dans de nombreux cours de dressage, on explique au maître comment utiliser la méthode du *clicker-training*. Un *clicker* est une petit boîtier qui émet un clic quand on appuie dessus. Chaque ordre correctement exécuté est suivi d'un clic. Au début, il n'a pas de sens pour le chien, mais ce dernier l'associe vite à une récompense, comme une friandise ou un jouet. Le *clicker-training* est une méthode de dressage très efficace, mais le timing est extrêmement important – tellement important qu'il est préférable d'apprendre avec un éducateur plutôt qu'avec l'aide d'un DVD.

Cours particuliers ou collectifs ?

L'avantage des cours collectifs est que vous et votre chien voyez faire les autres. Vous prenez conscience que les difficultés que vous rencontrez ne vous sont pas propres. Si c'est votre premier chien et que vous avez des milliers de questions à poser, vous pouvez prendre quelques cours particuliers avec un éducateur mais, dans votre intérêt et dans celui de votre chien, ne renoncez pas pour autant aux cours collectifs. Si un problème survient, il sera alors traité en cours particulier. De même, si vous venez d'acquérir un chien adulte,

Préférez les éducateurs canins affiliés à une organisation.

un cours particulier vous permettra de faire le point sur ses éventuels défauts et la façon de les corriger en cours collectif.

ÉDUCATEURS ET ORGANISATIONS PROFESSIONNELLES

ÉDUCATEURS ET COMPORTEMENTALISTES

L'éducation du chien fait intervenir deux professions. Suivant vos besoins, vous ferez appel à l'une ou l'autre, sachant qu'il existe des éducateurs qui sont aussi comportementalistes.
Les éducateurs canins enseignent aux maîtres à apprendre à leur chien à les écouter et à obéir à leurs ordres. Évidemment, ils éduquent aussi les chiens.
Les comportementalistes, éthologues ou psychologues canins sont aussi des spécialistes de l'éducation, mais ils traitent les problèmes de comportement en s'attachant à la relation homme-chien. Le comportementaliste ne doit pas être confondu avec le vétérinaire-comportementaliste.

Les organisations

Un Brevet professionnel d'éducateur canin sanctionne deux années d'études en alternance, mais il n'est pas obligatoire pour exercer cette profession. De nombreuses organisations existent. Pour plus d'informations, consultez leur site Internet. La liste qui suit n'est pas exhaustive :
• MFEC (Mouvement français des éducateurs canins), affilié au Mouvement francophone des éducateurs de chiens de compagnie ;

• SECP (Syndicat des éleveurs canins professionnels) ;
• CECP (Collectif des éleveurs canins professionnels) ;
• GECC (Groupement européen des comportementalistes canins) ;
• CAD (Comportementalistes d'aujourd'hui et de demain) ;
• CNEAC (Commission nationale d'éducation et d'activités cynophiles) ;
• SNPCC (Syndicat national des professions du chien et du chat) ;
• FEC (Fédération européenne des comportementalistes).

Capter l'attention de son chien

Du poulet coupé en dés comme récompense.

Tous les matins, j'emmène mon chien au parc. Au milieu des gazouillis des oiseaux, j'entends toujours la même voix crier au loin : « Tolstoï ! » Tolstoï est un Husky de Sibérie. Tous les jours son maître a recours à la même méthode, totalement inefficace, pour capter son attention. Ce chien est merveilleusement bien dressé : il sait que, quand il entend son nom, il doit continuer à renifler le derrière des chiens !

Bien utiliser son nom

Il est certain que le spectacle, les bruits et les odeurs qui vous entourent sont bien plus intéressants que vous. Votre chien a envie d'explorer cet univers sans tarder. Pour capter son attention, il va falloir vous imposer malgré son excitation. Vous lui avez choisi un nom court et clair. Alors, servez-vous de ce nom et uniquement de ce nom quand vous avez besoin de capter son attention. Pendant les séances de dressage, vous allez l'utiliser dans cet objectif en y ajoutant un ordre : par exemple « Tolstoï, assis ! », puis vous le récompenserez en disant simplement : « C'est bien ! ».

Voix et langage corporel

Votre chien doit être agréablement surpris quand il vous entend prononcer son nom. Utilisez-le uniquement pour l'inviter à passer un bon moment

À l'écoute

1 Un bon éducateur récompense au lieu de punir. Ce chien apprend à réagir à une friandise.

2 Incitez le chien à prendre la position souhaitée. Donnez-lui un ordre et récompensez-le avec la friandise tout en le félicitant.

et pour le récompenser. Ne l'appelez pas pour le corriger, ni quand il ne revient pas quand vous le rappelez. S'il apprend à répondre quand il en a envie, vous aurez beaucoup de mal à capter son attention pour autre chose.

Les premiers jours, n'attirez son attention que si vous êtes sûr qu'il réagira, c'est-à-dire si votre voix est gaie, si vous souriez, si votre langage corporel n'est pas menaçant, et si vous le caressez sans trop le distraire, pour qu'il vous entende tout de même. Quand vous l'appelez pour qu'il vienne vers vous, accroupissez-vous à son niveau, ouvrez les bras et dites-lui : « Tolstoï, viens ! », sur un ton enthousiaste. Les femmes y parviennent en général mieux que les hommes, mais, Messieurs, que cela ne vous empêche pas d'essayer. Vous verrez, c'est efficace et les femmes apprécieront vos qualités de « papa ». Ne vous comportez surtout pas comme un mâle dominant : une voix très grave, un homme debout au-dessus de lui ou qui l'empoigne un peu brusquement risquent de l'effrayer.

Vie quotidienne

Le chien apprend très vite à associer son nom aux sensations positives (jouets, repas, friandises, câlins ou jeux). Profitez donc au maximum de ces moments de la vie quotidienne. Pendant les séances de dressage, limitez les distractions possibles pour capter plus facilement son attention. Pour les premières, installez-vous dans la partie la plus tranquille et la plus neutre de la maison, un couloir par exemple. Dès que vous arrivez à maîtriser son attention, passez à des endroits où les distractions sont plus nombreuses : d'abord une pièce tranquille, plus grande, puis une pièce où les activités sont plus nombreuses, ensuite le jardin et pour finir les lieux publics, de loin les plus excitants.

3 Le chien suit la friandise avec sa truffe. Au moment où il se couche, dites-lui « Couché ». S'il obéit, récompensez-le et félicitez-le.

4 Ce chien apprend à marcher en laisse à côté de son maître, qui se sert d'une friandise pour l'inciter à rester au bon endroit. Sa tête et ses épaules se trouvent au niveau de la jambe de son maître, qui doit s'arrêter de marcher dès que le chien le dépasse.

Le rappel

QUAND IL EST DISTRAIT

Une fois que votre chien obéit quand vous le rappelez, entraînez-le à revenir quand il est distrait par quelque chose. Faites-vous aider par une personne qui ne dit rien et ne fait aucun geste. Faites comprendre à votre chien que cette personne a quelque chose d'intéressant (jouet ou friandise) et que vous n'avez rien. Faites marcher la personne quelques pas devant vous. Le chien la suivra naturellement. Ensuite, appelez-le. Utilisez éventuellement la longe pour inciter le chiot à vous suivre. Félicitez-le s'il vous regarde, et récompensez-le par des caresses, une friandise et un jeu une fois qu'il est revenu.

Apprendre à votre chien à revenir sur commande peut lui sauver la vie. C'est l'un des ordres les plus importants auxquels il doit obéir. La base de cette obéissance est la relation qu'il entretient avec vous. Proposez à votre chiot les stimulants les plus puissants que vous avez à votre disposition pour lui apprendre le rappel (friandises ou jouets). Une fois la séance terminée, jouez avec lui, câlinez-le et caressez-le.

Donnez-lui envie

Votre chien doit penser que rien n'est plus important que de revenir vers vous, que c'est avec vous qu'il se sent le mieux. Vous devez donc lui proposer des récompenses alléchantes et le dresser quand il a faim.

Au départ, il ne sait pas ce que « Au pied » veut dire. Par conséquent, ne prononcez cette phrase que quand il commence à s'avancer vers vous. Ce qu'il est en train de faire doit correspondre aux paroles que vous prononcez.

L'initier au rappel

1 La plupart des chiens apprécient les sorties, mais certaines sont dangereuses. Pour sa sécurité, il doit apprendre à obéir quand vous lui dites « Au pied ». Demandez à un ami de le tenir pendant qu'il vous regarde vous éloigner.

2 Votre chien a plus de chances de venir si vous êtes au niveau du sol, avec un jouet ou une friandise à la main. La perspective de l'obtenir l'incitera à se diriger vers vous. À ce moment-là, dites-lui « Au pied ».

Que faire si mon chien ne vient pas la première fois que je l'appelle ?

Gardez le pied sur la longe et ne dites rien. Vous maîtrisez ainsi la situation. Quand il vous regarde, souriez et montrez-lui la friandise. N'abandonnez pas la longe tant que votre chien ne répond pas systématiquement à votre appel.

Mettez-y le ton. Donnez-lui envie de venir vers vous plutôt que de rester où il est.

Sans tirer…

Quel que soit l'exercice que vous faites avec votre chien, soyez toujours en position de vous faire obéir en douceur, sans avoir à le saisir. La longe permet de toujours rester maître du jeu. (Voir p. 106 et 121.)

Ne tirez pas sur votre chien comme s'il s'agissait d'un poisson au bout d'une ligne. Il doit venir de son plein gré. La longe ne sert qu'à l'empêcher de se sauver et à vous donner confiance : même si cela doit prendre du temps, votre chien finira toujours par venir moyennant des encouragements et des friandises. N'allez pas le chercher vous-même, sauf s'il court un danger, et ne le disputez jamais parce qu'il n'est pas revenu tout de suite. S'il ne revient pas de lui-même, essayez une autre forme de récompense. Même si vous êtes exaspéré, terminez toujours dans la bonne humeur, par un jeu, pour que votre chien ait hâte de recommencer l'exercice.

Le mot de la fin

Votre chien a besoin d'apprendre à associer un mot particulier à la fin de l'ordre. Dites par exemple « C'est bien ! », ou « Allez ! ». L'essentiel est de

ne pas choisir une phrase qu'il risque d'entendre souvent dans les conversations quotidiennes.

3 Assurez-vous qu'il vous obéira en attachant une longe à son collier. Au début, maintenez la longe courte pour qu'il n'aille pas trop loin, avant de la supprimer complètement.

4 Quand il vous obéit dans un endroit calme, passez dans un lieu plus animé. Au début, les distractions doivent être minimes (quelques personnes). Le dressage en présence d'autres chiens ne doit venir qu'à la fin.

« Attends » et « Pas bouger »

La différence entre « Attends » et « Pas bouger » est subtile.
« Attends » signifie « Arrête-toi ». Cet ordre se donne quand vous
êtes en mouvement, que vous passez une porte, que vous êtes au
bord d'un trottoir, ou quand vous percevez un danger qu'il ne voit
pas. Il doit apprendre à s'arrêter, quoi qu'il fasse et où qu'il soit.
« Pas bouger » est plutôt un contrat passé avec le chien quand
vous vous absentez quelques instants. Apprendre à obéir à cet
ordre (comme aux autres) exige un renforcement positif, axé sur
la répétition : le chien acceptera de ne pas bouger pendant
un certain temps, jusqu'à ce qu'il entende « Allez ».

LE CONSEIL DU VÉTÉRINAIRE

Renouvelez les exercices dans la journée, sans
les prolonger au-delà d'une ou deux minutes
au début (voir p. 126). Ne brûlez pas les
étapes : réduisez progressivement la
fréquence des séances et augmentez le temps
d'attente jusqu'à ce qu'il patiente
une minute entière (comptez trois
semaines). Qu'il soit debout ou
assis importe peu. Ce qui
compte, c'est qu'il ait les
quatre pattes au sol.

Pas à pas

1 « Attends » signifie simplement :
« Arrête-toi ». En approchant du bord
du trottoir, le maître exerce une légère
traction sur le collier.

2 Au bord du trottoir, après avoir capté
l'attention de son chien, le maître place
sa main devant sa face et lui ordonne
de la main de s'arrêter. En même temps, il dit
« Attends ».

3 De la main droite, le maître continue à
faire signe au chien d'attendre. Dans sa
main gauche, il tient la laisse sans tirer
dessus. Cette main se trouve au même endroit
que quand il le promène.

« Attends »

Contrairement aux autres exercices destinés à apprendre à votre chien à rester à côté de vous ou à venir quand vous l'appelez, « Attends » et « Pas bouger » sont des ordres qui exigent de lui l'arrêt, en votre présence ou non.

« Attends » est un ordre qui peut lui sauver la vie. Quand vous ouvrez la portière de votre véhicule, vous l'empêchez ainsi de sauter au milieu des voitures. Entraînez votre chien à patienter à chaque fois que vous lui retirez sa laisse au parc. S'il obéit quand vous dites « Attends », c'est qu'il sait que vous contrôlez la situation. « Attends » doit être suivi d'un ordre lui signifiant qu'il peut continuer son chemin, comme « Allez ».

4 Au moment d'avancer, il retire sa main droite et lui donne le signal du départ (« Allez »). Le chien doit attendre cet ordre pour avancer.

5 Une fois que vous avez dit « Allez », le chien doit continuer à marcher au pied (voir p. 136-137). Les chiens calmes apprennent facilement à attendre, qu'ils soient tenus en laisse ou non. En revanche, l'éducation des chiens plus turbulents a besoin d'être renforcée. Commencez les exercices dans un endroit calme, hors de toute distraction

« Pas bouger »

Pour obéir quand on lui dit « Pas bouger », le chien doit être certain que vous allez revenir. Un chien anxieux qui a besoin de vous sentir près de lui, un chiot un peu fou qui court partout ou un chien qui a envie d'en faire à sa tête auront du mal à apprendre à rester en place. Quand vous revenez, dites « Allez » et mettez-vous à son niveau pour lui faire un câlin ou jouer. Quand vous voyez qu'il obéit systématiquement (le lieu est toujours le même), apprenez-lui à rester sans bouger là où vous le lui demandez.

Les chiens voraces

Les friandises sont des récompenses bien trop alléchantes pour les chiens obsédés par la nourriture. La tentation est si grande qu'ils sont incapables d'attendre ou de rester sans bouger. L'odeur de la friandise les rend incontrôlables. Si tel est votre chien, proposez-lui des petites bouchées moins à son goût. Parfois (mais il s'agit d'une minorité), il est préférable de récompenser le chien avec un jouet plutôt qu'avec une friandise lors des premières séances de dressage. Quels que soient les problèmes rencontrés, gardez toujours une voix enjouée.

Un langage cohérent

Quand on ne connaît pas une langue étrangère, on a l'impression d'entendre un long charabia incompréhensible. Quand vous commencez à le dresser, le chien est dans la même situation et ne comprend pas ce que vous lui dites. Aussi, faites l'effort de rendre votre langue cohérente. Choisissez les mots précis que vous prononcerez lors des séances de dressage, faites la liste des

Pas à pas

1 Pour apprendre au chien à ne pas bouger sur son ordre, le maître lui fait un signe de la main et le regarde en lui disant « Pas bouger ». Il bloque la laisse.

2 Même procédé, mais en même temps, le maître écarte la jambe opposée au côté où se trouve le chien. Il peut être amené à tenir le chien par le collier pour lui rappeler l'ordre donné.

mots que vous prévoyez d'utiliser pour lui apprendre à obéir aux ordres de base, faites-en des photocopies et distribuez-les à tous les membres de la famille.

Parfois le chien n'obéit pas, soit parce qu'il n'a pas compris ce que vous vouliez, soit parce qu'il s'agite et qu'il en fait un jeu. Pour ma part, je réserve le « Non » aux graves écarts de conduite et dis simplement « Pas bien » d'un ton neutre quand le chiot se roule sur le dos ou quand il essaie de jouer. Si vous vous trouvez dans cette situation, dites-lui « Pas bien », faites un pas en avant pour qu'il se relève, et recommencez.

LE CONSEIL DU VÉTÉRINAIRE

- Dressez votre chien quand il est rassasié et qu'il s'est dépensé.
- Lors d'un exercice d'entraînement à l'ordre « Pas bouger », revenez toujours vers lui.

- Si votre chien bouge, remettez-le tranquillement dans la bonne position, puis raccourcissez la distance entre vous jusqu'à ce qu'il soit certain que vous allez revenir.
- Soyez patient et allongez peu à peu la distance qui vous sépare.

Suites d'ordres

Les ordres évoqués sont suivis soit d'un autre ordre (« Au pied », « Assis »…) soit d'un mot qui met fin à l'ordre (« C'est bien », « Allez »). Le chien apprend alors à obéir à une suite d'ordres. C'est la base de tous les jeux qui associent plusieurs comportements acquis : il va par exemple attendre jusqu'à ce que vous lui lanciez un jouet pour courir, aller le chercher, le ramener et le lâcher.

3 Le maître a fait un pas de côté. Il maintient la main devant le chien encore une seconde tout en lui disant « Pas bouger ». S'il bouge, il le remet calmement dans la position d'origine.

4 Le chiot n'a pas bougé. Le maître revient et le félicite avant de mettre fin à l'ordre en lui disant « Allez », sans rien ajouter.

« Assis » et « Couché »

Votre chiot savait déjà naturellement attendre, se mettre debout, venir, se coucher et ne pas bouger avant d'arriver chez vous. Le dressage a pour objectif de lui faire exécuter ces gestes sur commande. « Assis », « Couché » et « Debout » sont trois variations sur un même thème. Pour un chien, chaque mot a un sens précis. Aussi dire à un chien « Assis, couché » peut le perturber.

« Assis »

Commencez par capter l'attention de votre chien : faites-lui renifler une friandise que vous tenez entre le pouce et l'index, et laissez-le y goûter. Levez lentement la main pour l'amener au-dessus de sa tête ; sa truffe doit rester collée à vos doigts. Le nez et la tête suivent la friandise. Quand il commence à s'asseoir spontanément pour continuer à voir la friandise, dites « Assis ». Quand son derrière touche le sol, récompensez-le

S'asseoir : pas à pas

1 Le chien doit obéir à toute la famille. Cette fillette tient une friandise dans la main droite pour attirer son attention et le retient de la main gauche pour l'empêcher d'avancer.

2 Elle lève doucement la friandise au-dessus de la tête du chien. Lorsqu'il s'assoit spontanément pour continuer à la voir, la fillette lui dit « Assis » et le récompense pour avoir obéi.

Pour lui apprendre à se coucher, asseyez-vous par terre. Servez-vous de vos jambes à demi-repliées pour l'amener en position.

avec la friandise et félicitez-le (« C'est bien »). Ne restez pas bêtement à côté de lui. Dites-lui « Allez », jouez un peu avec lui et recommencez l'exercice.

« Couché »

Une fois le chiot assis, mettez-vous dans le même sens que lui et abaissez votre main tenant une friandise entre ses pattes avant. Le geste doit être lent pour que le chien puisse suivre. Quand il commence à se coucher pour garder le contact avec la friandise, dites-lui « Couché ». Quand ses coudes touchent le sol, donnez-lui la friandise et félicitez-le (« C'est bien »). Libérez-le en lui disant « Allez », jouez avec lui et recommencez l'exercice. Petit à petit, faites-le rester de plus en plus longtemps assis ou couché. Certains chiens ont besoin que leur maître soit assis à côté d'eux pour se sentir en confiance.

« Debout »

Une friandise dans la main, asseyez-vous à côté de votre chien, lui aussi assis. Faites avancer la friandise droit devant son museau. L'objectif est de lui faire transférer le poids de son corps vers l'avant et de le faire lever, pas de le faire marcher. Pour cela, empêchez-le éventuellement d'avancer en lui bloquant les genoux. Quand il commence à se relever, dites-lui « Debout », donnez-lui la friandise et félicitez-le.

LE CONSEIL DU VÉTÉRINAIRE

La posture du maître compte beaucoup pour le chien. Ne restez pas debout au-dessus de lui car vous risquez de l'impressionner. Au début de l'exercice, accroupissez-vous pour avoir l'air engageant. Cette position est moins intimidante pour un chiot. Au fil des séances, redressez-vous progressivement.

Se coucher : pas à pas

1 Le chien est assis à côté de son maître. Tous les deux sont dans le même sens, prêts à commencer l'exercice.

2 Le maître amène sa main droite, avec une friandise, entre les pattes avant du chien. Il évite de la mettre trop en avant pour que le chien ne relève pas l'arrière-train.

3 Au moment où le chien se couche, le maître lui dit « Couché » et lui donne la friandise. Si le chien relève le derrière, recommencez à partir de la position assise.

La marche en laisse

Votre chien doit comprendre que même s'il y a des milliers de découvertes à faire ailleurs, il est préférable qu'il marche à côté de vous. Il doit aussi apprendre que cela ne sert à rien de tirer sur sa laisse, ce que tous les chiots et les adultes non dressés font instinctivement. Pour un chien qui va deux fois par jour au parc, lieu d'amusement s'il en est, cela vaut la peine de tirer son maître au bout de la laisse. Mais sachez que chaque fois que vous le laissez faire, vous vous rendez la tâche encore plus difficile.

Tenez la poignée et une friandise dans la main droite, et la laisse dans la main gauche.

Votre objectif

Une promenade commence avant même que vous ne quittiez la maison. Faites asseoir votre chien et mettez-lui sa laisse ; il doit rester calme. Sinon, réapprenez-lui à s'asseoir (voir p. 134-135). Faites-le attendre ; il doit vous laisser sortir de la maison en premier. Sinon réapprenez-lui à attendre (voir p. 130-131). L'objectif est d'amener votre chien à marcher tranquillement à côté de vous, pas devant vous. Ne vous attendez pas à ce qu'il apprenne instantanément à le faire. Procédez par étapes. Dans la mesure où cet exercice exige toute votre attention, choisissez le bon moment.

La laisse

N'utilisez surtout pas une laisse à enrouler pour cet exercice. Préférez une laisse courte. Pour la plupart des chiens,

Pas à pas

1 Les éducateurs apprennent aux chiens à marcher ou à rester au pied côté gauche. Captez son attention en lui disant « On y va ».

2 Démarrez par le pied gauche. La laisse n'est pas tendue et l'épaule du chien est au niveau de votre jambe.

3 Si le chien vous dépasse, que la laisse soit tendue ou non, arrêtez-vous.

LES ERREURS À ÉVITER

- Ne lui faites pas systématiquement suivre une friandise. Il est intelligent et il apprendra vite que pour marcher correctement, il faut avoir une bonne friandise devant le museau.
- Ne le récompensez pas avec n'importe quoi. Cet exercice demande du temps et le chien doit avoir une récompense à la hauteur de l'effort accompli.

- Ne fixez pas votre chien avec de grands yeux ronds. Vous risquez de l'intimider.
- Ne le laissez pas décider de ce qu'il peut renifler. De temps en temps, laissez-le tout de même se défouler et lâchez-le.
- Ne laissez pas votre chiot faire la fête à tout le monde. Quand vous croisez une personne ou un chien, arrêtez-vous et ordonnez-lui de s'asseoir.

- Ne soulevez pas de terre un chiot qui refuse de marcher en laisse. Vous risquez de lui apprendre que son refus est récompensé par un contact physique. Persévérez.
- Ne le laissez pas utiliser la laisse comme un yoyo. Ne la tirez pas d'un coup sec.
- Faites-le toujours marcher du même côté. Les éducateurs canins choisissent le côté gauche.

---

un collier suffit, mais si votre chien est gros ou trop vif, essayez le licol. C'est indolore et efficace. La laisse s'attache alors sous le menton ; quand le chien tire, sa tête est tirée vers le bas. Veillez à ce que le licol soit bien ajusté, pour que la sangle du museau ne lui tombe sur les yeux. Relâchez rapidement la tension.

Récompense et mot de la fin

Une fois que votre chien a fait deux ou trois pas, faites-le asseoir et récompensez-le. Recommencez plusieurs fois mais arrêtez avant qu'il en ait assez. À la fin de la séance, faites-lui comprendre que c'est terminé en disant toujours le même mot. Faites-le asseoir et dites-lui par exemple « Allez », ce qui signifie qu'il est libre de faire ce qu'il veut, sans être obligé de rester près de vous.

Petits problèmes

Si votre chiot n'est pas attentif ou qu'il tire sur sa laisse, restez calme et arrêtez-vous. Une fois que la laisse est détendue et que le chien vous regarde, souriez, félicitez-le, donnez-lui une friandise pour le ramener dans la bonne position et recommencez. Si le chiot se couche et refuse d'avancer, demandez-vous pourquoi. A-t-il l'habitude d'être porté ? A-t-il peur ? Est-il malade ? Cherchez la réponse avant de reprendre l'exercice.

Il n'est pas encore dressé

N'attendez pas qu'il sache marcher gentiment en laisse pour le sortir. Vous pouvez très bien l'emmener au parc, mais soyez moins exigeant.

4 Obligez le chien à revenir à côté de vous et donnez-lui une friandise quand il est dans la bonne position.

5 Procédez de même jusqu'à ce que le chien comprenne qu'il est récompensé dès qu'il est au bon endroit.

LE CONSEIL DU VÉTÉRINAIRE

- Le collier de votre chien doit être bien ajusté pour ne pas glisser de sa tête. N'oubliez pas sa plaque d'identification.
- Jouez avec lui pour lui faire consommer son énergie avant de commencer une séance de dressage. Les leçons doivent être courtes mais fréquentes.
- Commencez par le couloir, puis passez progressivement à des lieux d'exercices plus stimulants.
- Concentrez-vous ! Éteignez votre portable. Soyez attentif à ce que vous faites.
- Si vous ne vous en sortez pas, faites-vous aider.
- Félicitez toujours votre chien quand il obéit bien et terminez par quelque chose de positif.

L'empêcher de sauter

Sauter après les gens est très excitant. On y gagne des caresses, des paroles affectueuses et, parfois, une friandise. Toutefois, comme vous voulez éviter qu'il garde cette habitude quand il sera plus gros et plus fort, vous lui dites souvent « Non » ou « Descends », et vous le grondez. Parfois, vous l'ignorez tout simplement. Sans le vouloir, vous avez trouvé la méthode de dressage la plus simple et la plus efficace : la récompense aléatoire. Voici quelques conseils pour faire en sorte que cette mauvaise habitude ne perdure pas.

Pas à pas

1 En utilisant un langage corporel qui incite le chien à réclamer son attention, ce maître lui a inconsciemment appris à sauter.

2 Quand vous voyez votre chien, restez calme et immobile. S'il saute, détournez-vous et ignorez-le.

Une méthode simple

Votre chiot a déjà appris à s'asseoir sur commande avant de manger, avant que vous lui accordiez votre attention, avant de jouer. En étant assis, il ne saute pas. Quand quelqu'un sonne chez vous, faites-le asseoir. Quand vous vous promenez et que des étrangers s'approchent pour le caresser, faites-le asseoir. Le plus dur n'est pas d'exiger cela de lui, mais de le faire comprendre aux gens.

Ne l'encouragez pas

Le problème se pose moins avec les chiens craintifs qu'avec les chiens très sociables, qui veulent qu'on s'intéresse à eux, même de façon négative, quand on leur dit par exemple « Va-t'en ». Sauter peut être si gratifiant que ce comportement devient presque une addiction. Dans ce domaine, il est beaucoup plus facile de prévenir que de guérir. Dites-lui « Vilain ! » et expliquez-lui qu'il est adorable mais que

certaines personnes n'aiment pas qu'on leur saute dessus. Si vous manquez de cohérence dans votre éducation, vous risquez de vous retrouver avec un chien qui agace tout le monde, à commencer par les anti-chiens.

Mettez-vous à son niveau

Si tout le monde – vous, la famille, les voisins et les étrangers – dit bonjour au chien sans attendre qu'il se dresse, il sera beaucoup plus facile de le faire asseoir. Une fois qu'il est assis, penchez-vous et donnez-lui une friandise. Évitez les câlins et les jeux tant que le chiot n'a pas pris l'habitude de systématiquement s'asseoir et de ne pas sauter. Quand vous jouez avec lui, mettez-vous au niveau du sol pour l'inciter à se comporter comme un chiot, ce qui veut dire qu'il a des chances d'avoir des câlins et de jouer avec son maître. Si votre chiot fait preuve d'un enthousiasme excessif, laissez-lui une laisse courte et posez le pied dessus

pour le stopper dès qu'il commence à sauter. Félicitez-le une fois qu'il a à nouveau les quatre pattes au sol et qu'il est assis. Si vous adoptez un adulte, laissez-lui une longe à l'intérieur comme à l'extérieur tant que vous ne connaissez pas ses habitudes. S'il saute, freinez-le avec la longe.

3 Si votre chien est débordant de vitalité, un ordre ne suffit pas. Attachez une longe à son collier et, quand il essaie de sauter, mettez le pied dessus pour l'obliger à reposer ses pattes par terre.

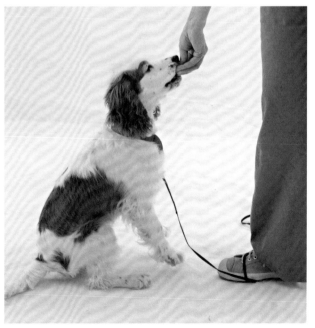

4 Une fois que vous avez capté l'attention de votre chien, dites-lui « Assis » et donnez-lui une friandise pour le récompenser. S'il saute à nouveau, ignorez-le et tournez-lui le dos.

Prévenir les morsures

Pour un chiot, mordiller la main de son maître est aussi naturel que manger et dormir. Grogner en le faisant l'est aussi. C'est un jeu auquel il a joué avec ses frères et sœurs. Dans une portée, quand un chiot est mordu trop fort, il couine et arrête de jouer. Les chiots apprennent ainsi à contrôler leurs mâchoires. Votre objectif est qu'il mordille ses jouets, pas vous.

Attirer l'attention

Les chiots mordent pour attirer l'attention. Pour certains, c'est aussi un moyen de voir jusqu'où ils peuvent aller, à quel point ils peuvent dominer l'autre. S'ils le font quand ils sont petits, ils continueront une fois adultes, ce qui n'est pas souhaitable.

Les chiots prennent facilement l'habitude de mordiller pour attirer l'attention. Faites-la perdre à votre compagnon quand il est encore petit, de la même façon que vous lui apprenez à ne pas sauter (voir p. 138-139). Récompensez-le uniquement quand il se comporte bien. Intéressez-vous

Pas à pas

1 La plupart des chiots mordent leur maître de temps à autre. Mais ce qui est mignon à un moment peut devenir inacceptable.

2 Au moment où il vous mord, poussez un cri aigu pour l'effrayer. Il vous lâchera automatiquement.

ÉDUCATION PRÉCOCE

Le chien apprend très tôt à contrôler ses mâchoires. L'inhibition s'acquiert donc au contact de ses congénères (frères et sœurs). Un chiot orphelin ou retiré trop tôt à sa mère est davantage susceptible de manifester son agressivité. Il devra être dressé pour apprendre à ne plus mordre.

à lui et félicitez-le s'il ne mord pas. Sinon, ignorez-le.

Les exercices

Pour surmonter le problème, faites simplement ce que font les chiens. Les chiots « punissent » ceux qui les mordent trop fort en arrêtant de jouer. Procédez de même. Quand votre chiot vous mord, poussez un cri. S'il s'excite facilement et que votre cri l'excite encore plus, dégagez-vous et laissez-le. Si c'est possible, sortez de la pièce, fermez la porte et comptez jusqu'à cinq. Retournez ensuite dans la pièce et ignorez-le. Au bout d'une minute, quand vous voyez qu'il est calmé, ordonnez-lui de s'asseoir pour réaffirmer votre autorité, dites-lui « Allez » et recommencez à jouer avec lui.

Le chiot et l'enfant

En jouant, les chiens et les enfants s'excitent en général mutuellement, et les choses peuvent vite dégénérer. Les gestes, cris et hurlements des enfants sont très ludiques pour un chiot. S'ils agitent les bras et se sauvent, par peur ou parce qu'ils veulent s'amuser, il s'excite encore plus. Ne les laissez jamais seuls. Apprenez à vos enfants à se déplacer lentement et à se figer sur place, sans regarder le chien dans les yeux quand il commence à être trop excité. Ayez toujours un jouet à mordiller pour détourner son attention et limiter le risque de morsure.

À ÉVITER

- Ne laissez pas les enfants agiter les mains autour du chien. Évitez vous-même de le faire.
- Ne saisissez pas votre chiot pour le soulever. Pour lui, c'est comme si l'un de ses frères le saisissait avec ses mâchoires. Donc, il mord.
- Ne tirez pas sur ses jouets pour les lui retirer de la gueule. Apprenez-lui à les lâcher sur commande.
- Ne laissez pas traîner des jouets. Rangez-les quand ils ne servent pas.
- Ne le laissez pas grogner. S'il grogne parce que vous voulez lui prendre un jouet, arrêtez immédiatement.
- N'imitez pas un chien qui grogne.
- Admettez que le besoin de mordre est normal. Donnez-lui suffisamment de jouets à mordiller et d'occasions pour jouer avec d'autres chiens.
- Ne lui laissez pas les jouets de vos enfants.

3 Tout de suite après, tendez-lui à nouveau la main. En principe, il se souvient de votre cri et ne vous mord pas.

4 Félicitez-le calmement et donnez-lui une friandise pour ne pas vous avoir mordu.

Les jeux

Les neurologues ont identifié les substances chimiques que l'organisme du chien libère et qui lui donnent une sensation de bien-être lorsqu'il s'amuse. Le chien joue pour recevoir ces récompenses physiologiques, mais le jeu est aussi pour lui un moyen naturel de satisfaire son désir biologique de poursuivre, d'attraper et de mordiller. Votre compagnon a besoin d'assouvir des besoins physiques et mentaux. Si vous n'intervenez pas en canalisant ses activités, il va créer ses propres jeux, en courant après les voitures ou les joggers par exemple. Jouer avec lui est le prolongement du dressage.

Une activité éducative

Servez-vous du jeu pour renforcer l'obéissance de votre chien et le récompenser quand il fait ce que vous attendez de lui. Quand vous jouez à cache-cache par exemple, et que votre chien vous trouve ou trouve l'objet que vous aviez caché, récompensez-

Les jeux de traction doivent rester un plaisir, ne pas être violents ni durer trop longtemps. Dès que le chien grogne, le jeu est terminé.

le parce qu'il est bien revenu vers vous (voir p. 128-129). Variante : faites-lui flairer une trace jusqu'à un objet caché. Jouer avec lui vous permet aussi de comprendre sa façon de fonctionner et de mesurer sa volonté d'interagir avec vous.

Garder le contrôle

Jouer avec son chien aide à établir un rapport de confiance. Plus votre compagnon a confiance en vous, moins vous aurez de mal à l'éduquer et à renforcer les acquis. Le jeu est aussi le meilleur moyen de faire accepter les exercices de dressage. L'animal ne dissocie pas l'un de l'autre. Son attention reste focalisée sur vous parce qu'il sait qu'une occasion de jouer peut surgir à tout moment. Avant de passer aux jeux proprement dits, il doit, pour sa sécurité, être capable d'obéir quand on lui dit « Pas toucher » ou « Lâche ».

« Pas toucher »

Cet exercice doit l'empêcher de manger quelque chose de potentiellement dangereux pour lui. La plupart des chiens me sont amenés parce qu'ils ont mâché, goûté ou avalé un produit plus ou moins toxique, ce qui se traduit par des

vomissements, de la diarrhée, une intoxication ou une obstruction. Prenez une friandise dans la main, montrez-lui et déplacez-la devant ses yeux. Quand il veut la prendre, fermez la main. Il va automatiquement reculer et éventuellement s'asseoir. Il a provisoirement perdu le contact avec elle. Recommencez et, quand il s'en éloigne à nouveau, dites « Pas toucher ». Récompensez-le en lui disant « C'est bien ». Répétez l'exercice fréquemment, en abaissant progressivement votre main

Les chiens adorent les jeux de traction, mais il vaut mieux les éviter si le vôtre est dominant. Apprenez-lui d'abord à lâcher prise.

Que faire si mon chien se désintéresse des jouets ?

Cela peut arriver si le chien n'a pas été habitué à jouer avec des jouets quand il était petit. Il faut alors lui laisser le temps d'apprendre. Cela peut aussi se produire si le chien a trop de jouets. Dans ce cas, laissez-lui uniquement un jouet à mordiller. Montrez-lui que vous rangez les autres. Donnez-lui envie de jouets que d'autres ont mais que lui n'obtiendra pas. Demandez l'aide d'une autre personne et lancez-vous un jouet pour susciter l'intérêt du chien. Faites comme si vous étiez très excité, mais ignorez votre chien. Les chiens sont comme nous ; ils ont envie de ce qui leur est interdit et s'intéressent à ce que les autres ont. Ensuite, mettez le jouet quasiment à sa portée, en l'air ou par terre, puis enlevez-le lui. Finalement, laissez-le approcher et « gagner », c'est-à-dire prendre le jouet.

Jouet à rapporter

LE CONSEIL DU VÉTÉRINAIRE

- C'est vous qui contrôlez la situation, qui décidez quand et où jouer, à quel jeu et quand il finit. Commencez par des séquences courtes et arrêtez-vous avant qu'il soit lassé.
- Si votre chien vous invite au jeu et que vous acceptez, faites-le d'abord obéir à un ordre avant de commencer à jouer.
- Choisissez soigneusement les jouets (voir p. 108-109). Les chiots ne sont pas indifférents à leur poids, leur texture et leur odeur. Intégrez dans vos jeux les activités pour lesquelles votre chien a un penchant naturel : rapporter, creuser, faire rouler, fouiner.

- Mettez ces jouets hors de sa portée et sortez-les uniquement quand vous jouez ensemble.
- Adoptez une posture et un ton avenants. Soyez enjoué, mais ne l'énervez pas trop.
- Laissez les jouets au niveau du sol pour éviter qu'il ait à sauter pour les attraper.
- S'il saute, qu'il vous mord ou qu'il refuse de lâcher prise quand vous le lui ordonnez, cessez immédiatement de jouer. Il devra attendre jusqu'à la prochaine fois.
- Ayez conscience des limites physiques et mentales de votre chien ; évitez les jeux qui peuvent être dangereux pour lui (ne le faites pas sauter s'il a les ligaments fragiles, par exemple).

jusqu'au sol, puisque c'est là que se trouveront la plupart des choses que vous ne voulez pas qu'il touche.

« Lâche »

Cet exercice est également une composante de l'exercice de rapport. Commencez par capter l'attention de votre chiot avec un objet attirant, en l'agitant ou en le traînant devant lui. Frottez vos mains sur l'objet pour qu'il prenne votre odeur. Il va forcément le prendre dans sa gueule. À ce moment, dites-lui « Lâche » et approchez en même temps une friandise près de sa truffe. Il sent son odeur et lâche alors automatiquement le jouet. Essayez de l'attraper pour qu'il ne soit pas distrait quand le jouet tombe, et dites-lui aussitôt « Assis ». S'il obéit, félicitez-le et donnez-lui la friandise. En lui demandant de s'asseoir, vous évitez qu'il saute pour attraper la friandise. Petit à petit, supprimez la friandise de l'exercice. Votre chiot est maintenant dressé pour obéir à l'une des composantes clés du

Votre chien s'arc-boute comme celui de droite ? Il a envie de jouer.

rapport. Au fil des leçons, demandez-lui de s'asseoir avant de lâcher l'objet. Vous pouvez aussi utiliser le mot « Merci » pour lui demander de lâcher un objet pour vous le donner.

Cache-cache

Ce jeu satisfait parfaitement le besoin que le chien a de chasser ou de fouiner. Certains jouets sont conçus pour laisser échapper de la nourriture quand il les déplace et il peut ainsi jouer en votre absence.

Hors de sa vue, répartissez quelques friandises un peu partout dans la

Les parties de cache-cache amusent autant les chiens que les enfants.

pièce. Faites entrer le chien et tapotez le sol près d'une friandise pour qu'il se mette à chercher. À chaque fois qu'il en trouve une, dites « Cherche ». Quand vous êtes sûr qu'il va obéir systématiquement à cet ordre, passez à l'étape suivante. Faites-lui chercher des friandises plus difficiles à trouver. Mettez-en derrière les meubles, dans des sacs ouverts ou dans un jouet spécialement conçu pour cela. Restez calme et laissez-le se servir de sa truffe. Ne lui montrez pas où chercher. Laissez-le trouver tout seul ce que vous avez caché et, s'il vous ramène spontanément un jouet, félicitez-le. C'est signe qu'il commence à savoir rapporter. Pour les jeux qui font appel à son odorat, commencez par l'inciter à trouver sa gamelle de nourriture. Si c'est vous qui vous cachez, restez immobile derrière un arbre et attendez. Le fait de vous retrouver est une énorme récompense pour lui. Si vous jouez souvent à ce jeu, vous verrez que votre chien cherchera toujours à vous localiser pendant vos promenades.

Le rapport

Ce jeu est beaucoup plus compliqué. Le chien doit trouver l'objet à rapporter (balle, frisbee, jouet qui couine), le ramasser, vous le rapporter et le déposer dans votre main. Cela exige de savoir enchaîner plusieurs actions : poursuivre, ramasser, revenir, tenir, s'asseoir, donner et lâcher. Le rapport satisfait un certain

Les jouets qui délivrent des friandises quand on les fait rouler permettent au chien de jouer seul ou avec son maître.

nombre de besoins naturels du chien : chercher, transporter et travailler en équipe. Il lui donne l'occasion de poursuivre quelque chose, mais sous votre contrôle.

Certains chiens ont beaucoup plus de facilités que d'autres à apprendre le rapport. Les rapporteurs réussissent brillamment, bien sûr. Si vous ne savez pas bien lancer, utilisez une raquette ou un lanceur de balles. Au début, attirez son attention sur l'objet. Assis par terre, sans rien pour le distraire, faites rouler une balle montée sur une corde (pour pouvoir la contrôler). Quand il la prend, incitez-le à revenir vers vous et félicitez-le d'avoir bien tenu la balle dans sa gueule en lui disant « C'est bien ». Échangez-la contre

une friandise en lui disant « Lâche » pour qu'il la laisse tomber.

Répétez l'exercice en augmentant progressivement le chemin qu'il devra parcourir pour revenir vers vous. Pour finir, apprenez-lui à obéir quand vous lui dites « Assis », tout en tenant l'objet dans sa gueule une seconde. Dites-lui alors « Lâche » et donnez-lui une friandise.

Le rapport est une séquence d'exercices reliés entre eux comme une chaîne. Si l'un des maillons est défaillant, la chaîne est rompue. Le maillon défaillant doit être retravaillé séparément jusqu'à ce que vous soyez certain que le chien a bien acquis ce que vous lui demandez de faire.

Chapitre 4
Drôles de sacripants

Un chien est un chien

Même si vous êtes convaincu du contraire, un chien n'est pas une personne à laquelle on aurait ajouté un pelage. Quand vous dites : « Tolstoï, je vais me fâcher », il n'entend que son nom et le ton de votre voix. Ses yeux tellement intelligents sont sa principale arme de séduction, mais il ne faut rien y voir de plus qu'un regard. Il a le potentiel pour accomplir tout ce que les chiens ont appris à faire au fil du temps, mais rien de plus.

LA STÉRILISATION

Elle influe sur le comportement
Le chien atteint la puberté entre 5 et 12 mois. Les mâles commencent alors à lever la patte pour uriner et marquer leur territoire. Les femelles ont des chaleurs, annoncées par un écoulement sanguin au niveau de la vulve. La stérilisation précoce (castration, ovariectomie), avant la puberté, ne modifie pas la personnalité du chien mais facilite le dressage (plus ou moins vrai suivant sa race et son caractère). Le but n'est pas de supprimer l'étape de l'adolescence, car avec ou sans stérilisation, c'est un passage obligé.

Un patrimoine génétique
Votre chien a hérité de l'intelligence de ses ancêtres loups. Il comprend instinctivement le langage corporel. Comme nous partageons dans ce domaine un répertoire assez étendu avec les chiens, il est capable de comprendre certaines de nos émotions.
Le chien apprend par expérience, et si le vôtre n'apprend pas à faire confiance aux gens, il sera instinctivement prudent, méfiant ou craintif devant des inconnus. Votre compagnon se considère comme un membre de la famille. Votre territoire est le sien et il aboie parfois pour le faire comprendre aux autres (chiens ou humains). Tous ces comportements sont propres au chien. Certains nous conviennent, d'autres nous dérangent.

Premiers apprentissages
Dès sa naissance, le chiot a appris grâce à ses frères. Pendant les trois premières

LE DÉVELOPPEMENT DU CHIEN

Une croissance et un développement rapides
Le chien atteint très vite sa maturité physique – en moins d'un an pour la plupart des races. La maturité affective survient plus tardivement, le plus souvent entre 18 et 24 mois. La première année du chien équivaut aux 15 premières années d'un enfant.

Un jour   Dix jours   Sept semaines   Quatre mois

Comme tout le monde, vous rêvez d'un chien parfait. Or, les chiens ne sont pas des peluches.

semaines, la structure sociale qu'il a connue était propre à son espèce. Il a cherché du réconfort et développé des relations. Durant les cinq semaines suivantes, ses sens se sont perfectionnés et les humains ont commencé à faire partie

intégrante de son univers. Il s'est habitué à être manipulé et à se sentir bien en présence (voire dans les bras) d'une espèce différente et plus grande que lui. La notion de crainte n'est pas apparue avant l'âge de deux mois.

Une personnalité

Le chien qui arrive chez vous possède sa propre personnalité. Il montrera plus ou moins de vitalité et un besoin plus ou moins grand de fouiner, de marquer son territoire, de donner de la voix et de communiquer avec les autres chiens. Il sera aussi plus ou moins capable de comprendre ce que vous attendez de lui (par exemple, vous écouter et apprécier votre compagnie).

Des spécialistes parlent à ce propos de génie de la communication. La sélection a permis d'obtenir des races chez lesquelles il est particulièrement développé, notamment les chiens de troupeau comme le Border Collie (voir p. 54), de travail comme le Berger allemand (voir p. 22-23), et les rapporteurs comme le Labrador et le Golden Retriever (voir p. 20-21 et 26). Ces chiens soutiennent leur attention plus longtemps que les terriers, par exemple, et se concentrent mieux sur leur maître et sur ce qu'il fait. Cependant, tous les chiens, quelle que soit leur qualité

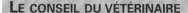

LE CONSEIL DU VÉTÉRINAIRE

Le chien adolescent a toutes les chances de transgresser les règles établies.

- Si votre chien se rend compte que tel ou tel comportement lui vaut une récompense, il le répétera. C'est à vous de décider de ces récompenses. Trouvez-en une qui le détournera des comportements indésirables.

- Restez maître de vous-même. Certains chiens ados sont un cauchemar.

- Ne passez pas votre temps à crier. Renforcez plutôt les ordres positifs.

- Gardez le « Non ! » pour les occasions où votre chien se met en danger ou menace les autres.

  - Les adolescents ont une énergie inépuisable. Prévoyez du temps pour en évacuer le trop-plein.

d'écoute, peuvent connaître des périodes plus difficiles au cours de leur croissance.

Adolescence et rébellion

Entre le chiot plutôt obéissant et l'adulte gentil, il y a un passage incontournable : l'adolescence. Ce ne sont pas uniquement les hormones qui transforment un chiot docile en adolescent turbulent. En effet, la plupart des chiots sont stérilisés avant de connaître la poussée hormonale qui accompagne la puberté, ce qui ne les empêche pas d'oublier la propreté, de mordiller les pieds de table et les tapis, de se cacher dans un coin sans qu'on sache pourquoi, de devenir hésitant, réticent ou soumis, ou encore (c'est certainement le cas le plus fréquent) de décider un jour de vous ignorer, vous et vos ordres, et de n'en faire qu'à leur tête.

Il suffit alors de reprendre l'éducation à zéro, sachant que ces problèmes peuvent être dus autant à votre incohérence qu'au comportement rebelle propre à l'adolescent.

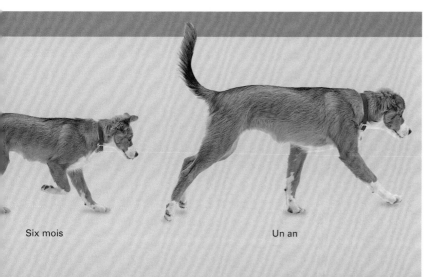

Six mois   Un an

Jeune et tout fou...

Les chiens ne refoulent pas leurs sentiments. Ne soyez donc pas étonné si le vôtre est parfois surexcité, surtout à l'adolescence. Il vous mordille, grignote vos vêtements, saute pour être plus près de votre visage, aboie, pourchasse tout ce qui bouge, ne répond pas quand vous l'appelez ou tire comme un fou sur sa laisse. Il faut que jeunesse se passe…

Fou comme un jeune chien… débordant d'enthousiasme.

Évitez de l'exciter

Dès que vous lui mettez sa laisse et commencez à marcher, votre chien est si excité qu'il se transforme en une véritable furie. Un pas de plus et vous récompensez involontairement son comportement et alimentez son réservoir d'énergie.
À chaque fois que votre chien s'excite, reprenez les exercices d'obéissance. Ne restez pas sur un échec ; votre chien a simplement besoin que l'éducation de base qu'il a reçue étant jeune soit renforcée. S'il poursuit tout ce qui bouge, réapprenez-lui à attendre (voir p. 130) ; s'il mordille, reprenez les exercices de contrôle de la morsure (voir p. 140-141) et s'il saute sur les gens, reprenez l'entraînement pour l'en empêcher (voir p. 138-139).

Il tire sur sa laisse

C'est le comportement que mes patients supportent le moins. Pour le corriger chez le chiot ou le chien adolescent, il suffit de quelques heures d'exercice. Soyez détendu et prévoyez un sac de nourriture.
Si votre chien s'excite quand vous lui mettez sa laisse ou que vous commencez à marcher, ne faites rien. Arrêtez-vous et attendez sans bouger qu'il se calme. Ne cherchez pas à lui faire comprendre quoi que ce soit et ne le regardez pas. Cela peut prendre longtemps, voire très longtemps au début. Mais soyez patient, votre chien finira par s'asseoir. Dès qu'il le fait, dites-lui « C'est bien » et donnez-lui une friandise. Il est en train d'apprendre tout seul ce que vous attendez de lui, sans que vous lui donniez d'ordre. Il apprend aussi ce qu'il ne doit pas faire. Au départ, les arrêts et les redémarrages seront très fréquents, et vous risquez de mettre longtemps avant d'arriver à sortir de chez vous.
Au début, avancez pas à pas. Faites un pas, arrêtez-vous, attendez qu'il s'assoit de lui-même, dites-lui « C'est bien » et donnez-lui une récompense. Faites un

Laissez votre chien inspecter tranquillement ce qu'il ne connaît pas.

LE CONSEIL DU VÉTÉRINAIRE

- Ne cantonnez pas le dressage à un seul lieu, sinon votre chien risque de se maîtriser uniquement à cet endroit.

- En multipliant les séances de 5 à 10 secondes pendant une promenade, il apprend à réagir à toutes sortes de stimuli dans différents endroits.

- Ne limitez pas cet apprentissage de l'« apaisement » aux promenades. Pratiquez par exemple l'exercice dans votre voiture à l'arrêt, en le récompensant avec un jouet rempli de friandises.

autre pas, attendez qu'il se calme et s'assoie tout seul, et ainsi de suite. Augmentez progressivement le nombre de pas que vous faites avant de vous arrêter pour attendre qu'il s'assoie spontanément. Récompensez-le toujours avec les mêmes mots et la même friandise. Petit à petit, sa réaction sera de plus en plus rapide. Répétez sans arrêt l'exercice. Il se calmera de lui-même et vous pourrez alors réintroduire les ordres en sachant qu'il obéira systématiquement.

Prolongez l'entraînement

Vous pouvez maintenant intercaler de courtes séances de dressage au cours de votre promenade. Quand il accomplit tout ce que vous lui demandez (attendre, s'asseoir, se mettre debout ou se coucher), donnez-lui un ordre signifiant que la promenade peut reprendre (par exemple « Allez »). Les friandises sont maintenant inutiles. La récompense est d'entendre « Allez », c'est-à-dire « avance, mais sans tirer ».

Surprenez-le

Comme vous avez l'avantage (en principe…) d'être plus intelligent que votre chien, introduisez une part d'imprévisible quand il se met à tirer. Si vous sentez que la laisse commence à se tendre, surprenez-le par exemple en partant immédiatement dans la direction

ACCESSOIRES UTILES

Le collier métallique étrangleur ou le harnais anti-traction utilisent l'inconfort ou la douleur pour empêcher le chien de tirer. Les chiens surexcités apprennent seulement à s'étrangler en tirant comme des fous. Les licols, type Gentle Leader ou Halti par exemple, sont bien plus intéressants, surtout si le chien est grand et particulièrement turbulent. Voir p. 136.

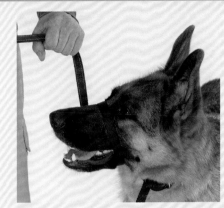

Les licols sont pratiques et efficaces pour contrôler un chien puissant qui tire sur sa laisse.

opposée. Utilisez uniquement une laisse courte, surtout pas de laisse à enrouleur. En allongeant spontanément la laisse quand il commence à tirer, vous le laissez penser qu'il a gagné.

S'il n'est pas dressé, le chien tire naturellement sur sa laisse quand il est excité. Un comportement facile à corriger.

Frustrastion et ennui

La plupart des chiens que je soigne restent seuls chez eux des heures durant et s'en accommodent très bien. Ils ont appris très tôt à jouer tout seuls, avec leurs jouets à mordiller, ou à faire un bon petit somme. Un chien éduqué en douceur à la solitude se satisfait en général de son sort, mais il ne peut pas apprendre de lui-même à gérer cette situation. Si vous ne l'aidez pas à canaliser son énergie naturelle, il trouvera un moyen de lutter contre la frustration et l'ennui, en mordillant, en creusant, en hurlant et en aboyant, ou encore en se sauvant.

LE CONSEIL DU VÉTÉRINAIRE

Votre chien se transforme en pile électrique et s'en prend à vos chevilles comme un forcené dès que vous commencez à jouer ? Ce comportement est typique des chiots excités après une période d'ennui. Avec certains d'entre eux, il suffit de crier « Aïe ! » et de leur imposer une minute de temps mort, mais d'autres sont plus retors. Si le vôtre ne se calme pas, demandez-lui de s'asseoir ou de se coucher, puis donnez-lui quelque chose sur lequel se défouler : par exemple, un jouet à mordiller.

Mettez-le à l'abri dans son parc avec quelques jouets quand vous le laissez seul à la maison.

Des réactions différentes

Si l'ennui est fréquent chez les chiens qu'on laisse seuls à la maison, il peut aussi toucher des chiens qui sont avec leur maître mais qui manquent d'occupation. Les jeunes chiots ont besoin qu'on leur consacre du temps pour se socialiser, apprendre la propreté et l'obéissance. Les adolescents demandent beaucoup d'exercice physique et mental. Quant aux chiens plus âgés, ils savent que l'ennui fait partie de la vie et le trompent en dormant. Les races naturellement débordantes d'énergie comme le Labrador (voir p. 20-21) ou le Border Collie (voir p. 54) sont plus susceptibles de s'ennuyer que des races moins dynamiques comme le Pékinois ou le Greyhound, qui supportent mieux l'inaction. Si vous prenez un chien adulte exubérant, il faut lui permettre d'évacuer physiquement et mentalement le trop-plein. En revanche, s'il est calme et se contente d'observer ce qui se passe autour de lui, il a moins de chances de souffrir de frustration et d'ennui.

Les conséquences de l'ennui

Si votre chien s'ennuie, il risque d'excéder vos voisins à force d'aboyer ou de hurler, de déterrer vos plates-bandes, de se défouler sur vos coussins et vos tapis ou d'arracher votre papier peint. Mais pas uniquement.

L'imagination d'un chien qui s'ennuie est sans limites. Les conséquences sur le plan médical peuvent être bénignes (ongle arraché à force de creuser) ou plus graves (blessures à la bouche à force de mordiller), voire catastrophiques (fractures multiples chez le chien qui se fait renverser par une voiture). Pour prévenir tous ces maux, tenez compte des besoins instinctifs de votre compagnon. En cas d'incident, réfléchissez aux causes possibles et évitez qu'elles se reproduisent en modifiant son environnement ou son mode de vie.

Prévenir l'ennui

Commencez par vous mettre à son niveau, dans la maison et dans le jardin, pour avoir le même regard que lui sur les diverses possibilités de bêtises. Vous risquez d'être surpris. Rangez vos affaires et ne laissez rien traîner. S'il n'a rien d'autre à mordiller que le jouet que vous avez choisi de lui laisser, c'est à lui qu'il s'attaquera.

Ce jouet laisse échapper des petits morceaux de nourriture quand le chien le manipule : un bon moyen de lutter contre l'ennui.

Utilisez la cage pour les courtes périodes où vous le laissez seul et tant qu'il n'a pas encore acquis la propreté. Ensuite, utilisez-la uniquement si vous pensez qu'il risque de faire des bêtises. S'il a accès à plusieurs pièces, laissez-lui des jouets contenant des friandises pour éviter qu'il s'ennuie.

En général, les chiens sont moins vifs quand ils ont l'estomac plein. Par conséquent, si vous le laissez seul plusieurs heures par jour, servez-lui son repas principal avant de partir plutôt que d'attendre d'être rentré. Il y a ainsi plus de chances que votre chien passe une bonne partie de son temps à dormir en votre absence. Quoi qu'il en soit, soyez raisonnable et ne le laissez pas trop longtemps seul.

Mordiller des jouets

Un chien occupé à mordiller un jouet n'aboie pas, ne court pas partout, n'essaie pas de s'échapper ni de vous gâcher la vie. Les jouets spécialement conçus pour être mordillés sont donc incontournables. L'objectif est de faire en sorte qu'il prenne la bonne habitude de jouer avec et qu'il la garde toute sa vie. Quelques règles s'imposent :

- Un jouet à mordiller doit être indestructible ou, en tous cas, ne pas pouvoir être complètement mangé.
- Les jouets qui couinent ne doivent servir que pour les exercices et pour le récompenser. Ils peuvent se déformer. Ce ne sont pas des jouets à mordiller.
- Quand vous remplissez un jouet à mordiller, mettez ce qui a le plus de goût au fond et terminez par de la nourriture sèche réhydratée.
- Si votre chien aime les glaçons ou la crème glacée, placez le jouet quelques heures au congélateur.

CLAUSTROPHOBIE

Au Canada, où j'ai grandi, les trappeurs qui passaient les pires mois de l'hiver dans la forêt sombraient parfois dans la folie à force de rester enfermés dans leur cabane. Cette forme de claustrophobie, je la retrouve chez certains chiens qui restent trop souvent tout seuls chez eux. Votre compagnon a besoin de partager vos activités. Quand vous allez faire une course, emmenez-le avec vous, ne serait-ce que pour le trajet en voiture (s'il ne fait pas trop chaud). Si vous allez prendre un pot au café du coin, ne privez pas votre chien de cette occasion de voir du monde et de respirer des odeurs inhabituelles.

Si vous donnez à votre chien une chaussure pour jouer, il va beaucoup apprécier, mais il ne fera plus la différence entre celle qui lui sert de jouet à mordiller et la paire à laquelle vous tenez.

Lutter contre l'ennui

Si votre chien s'ennuie, c'est qu'il se sent négligé. C'est à vous de vous remettre en cause et de réfléchir aux moyens de l'aider à surmonter son ennui. Si vous avez le temps, sortez plus souvent ou faites des promenades plus longues. Si vous ne pouvez pas lui consacrer plus de temps, cherchez une personne de confiance qui pourra se charger d'aller le promener. Si vous habitez en ville, il existe peut-être une bonne garderie pour chiens. Cette solution est souvent onéreuse, mais votre compagnon aura l'occasion de s'occuper intelligemment.

Jouez plus souvent avec lui quand vous êtes là. Faites-lui chercher des friandises, jouez à des jeux de traction ou faites du catch. Apprenez-lui des tours. Il y prendra autant de plaisir que vous.

Ne punissez jamais votre chien après-coup, quand vous découvrez

Les jouets à mordiller ont une odeur et un toucher très différents des autres objets.

qu'il a fait une bêtise par ennui ou par frustration. D'abord, c'est trop tard : il ne sait pas pourquoi vous êtes en colère. Ensuite, ce n'est pas de sa faute.

Vraiment. Si votre chien fait des bêtises en votre absence, demandez-vous pourquoi. Sa réaction face à l'ennui doit vous donner à réfléchir.

QUESTIONS-RÉPONSES

Que faire si mon chien creuse d'énormes trous dans mon jardin ?

Certains chiens creusent pour enterrer leurs os. D'autres creusent pour se mettre au frais dans un trou. Parfois, ils creusent aussi sous les clôtures pour s'échapper. Et certains se prennent pour des ouvriers du bâtiment et creusent inlassablement des fondations. Quelle que soit la motivation de votre chien, donnez-lui la possibilité de laisser libre cours à son instinct dans un endroit prévu pour cela, à savoir un bac à sable rien que pour lui. S'il creuse sous la clôture, essayez le fil de fer barbelé enterré pour l'en dissuader.

Les chiens adorent creuser... et pas seulement pour trouver des lapins ou des racines.

L'anxiété de la séparation

Un chien peut aboyer, uriner ou faire des ravages pour une autre raison que l'ennui : l'anxiété générée par le fait d'être séparé de vous. L'ennui, la frustration et l'excitation sont des manifestations naturelles chez le chien, tandis que l'anxiété de séparation est un comportement acquis, fruit de l'incohérence des maîtres, qui n'ont cependant pas toujours conscience des conséquences de leurs actes. Les spécialistes s'accordent à dire que l'anxiété de séparation survient le plus souvent chez des chiens abandonnés, maltraités ou négligés, ou ballottés de maison en maison. Toutefois, d'après une étude récente, une part de l'explication serait ailleurs.

QUESTIONS-RÉPONSES

Comment savoir si un chien que l'on veut adopter ne souffrira pas d'anxiété de séparation ?

D'après mon expérience, les chiens très agités, surexcités et ceux qui vous collent en s'enroulant autour de vos pieds avec un œil triste présentent une personnalité extrême. Ils ont plus de chances que d'autres de développer une anxiété de séparation. Choisissez plutôt un individu calme, sociable et aussi désireux d'inspecter les environs que de faire votre connaissance.

Les signes

L'anxiété de séparation provoque une détresse extrême chez le chien laissé seul, même pour quelques instants. Il se met à explorer frénétiquement les pièces, à se figer en regardant la porte ou à travers la fenêtre, à aboyer, à uriner ou à détruire le mobilier. Quand son maître rentre, il devient littéralement fou de joie. Les plus enclins à cette pathologie sont les chiens qui collent en permanence leur maître ou qui lui sont profondément attachés tout en manifestant de la timidité à l'égard des étrangers.

Les causes

Des chercheurs ont observé le comportement de plusieurs portées de Labradors (voir p. 20-21) et de Border Collies, deux races

En l'absence de son maître, ce Border Collie a trouvé un vêtement et l'a emporté dans son panier.

particulièrement sujettes à l'anxiété de séparation, entre la naissance et 18 mois. Ils ont remarqué que les chiens élevés dans un environnement social stimulant entre 10 et 12 mois ne développaient pas cette pathologie, tandis que ceux élevés dans l'isolement y étaient sujets.

Une autre étude menée en lien avec la précédente a démontré que le phénomène était plus fréquent chez les mâles que chez les femelles, mais pas plus chez les chiens abandonnés issus de refuges que chez les chiens provenant d'élevages. D'après les statistiques, la moitié des animaux de compagnie souffriraient d'anxiété de séparation à un moment ou à un autre, mais 10 % seulement des maîtres sollicitent une aide pour surmonter le problème.

Prévenir l'anxiété de séparation

Élevez votre chiot dans un environnement social stimulant. Plus il rencontre de gens avec lesquels il peut jouer, moins il risque d'être affectivement dépendant de votre présence. Habituez-le dès le plus jeune âge à être séparé de vous. Laissez-le seul à la maison de plus en plus longtemps. Plus important encore, n'accordez pas trop d'importance aux adieux et aux bonjours. Vous y prenez sans doute plaisir, mais ils ne font que susciter la confusion dans son esprit et accroître son sentiment de solitude une fois que vous êtes parti.

Bonnes habitudes

Ignorez votre chien pendant les vingt minutes au moins qui précèdent votre départ. Cela signifie aucun contact physique, mot ou regard. Il est très attentif à votre langage corporel : si vous êtes inquiet, il le sera aussi. Éventuellement, bâillez. Pour lui, c'est un signal d'apaisement et il le percevra immédiatement.

Ne dites pas « Je reviens dans dix minutes », faites comme s'il n'était pas là. Assurez-vous qu'il s'est bien

Béatrice, le Carlin de mon assistante, reste plantée devant la fenêtre jusqu'à ce qu'elle rentre. D'autres chiens expriment leur anxiété par des aboiements.

dépensé, qu'il a bien mangé et qu'il est occupé. Laissez la radio allumée. Rendez-le insensible aux rituels qui lui font comprendre que vous allez partir. Prenez vos clés, mais ne partez pas. Mettez votre manteau, mais restez à la maison.

Limitez l'accès à certaines parties de la maison pour qu'il ne puisse pas errer de pièce en pièce. S'il supporte la cage, enfermez-le, mais ce geste ne doit pas être associé à votre départ.

Faites semblant de partir, en évitant toute forme d'adieu. Quand vous revenez, ne le regardez pas. Attendez qu'il soit calmé pour lui parler.

LE CONSEIL DU VÉTÉRINAIRE

- Ne punissez pas votre chien s'il a fait une bêtise en votre absence. Nettoyez sans lui accorder d'attention.

- Certains chiens se sentent en sécurité dans leur parc, d'autres ne supportent pas d'être enfermés dans une cage. Tenez compte de sa personnalité pour l'aider à surmonter son anxiété.

- Si vous êtes tous les jours chez vous toute la journée, habituez votre chien à rester seul à un moment ou à un autre, plus ou moins longtemps. Ne le laissez pas prendre l'habitude de vous suivre partout, en installant éventuellement une barrière de sécurité pour enfants.

  - Laissez une lumière, la radio ou la télévision allumée.

Autres problèmes chez le chiot

Surveillez votre chien pour l'empêcher de manger des excréments. Ci-dessous : quand vous l'emmenez dans un endroit qu'il ne connaît pas, faites-lui bien faire ses besoins avant.

Durant les trois mois qui suivent son arrivée dans votre foyer, le chiot n'est pas sans créer des soucis. Certains comportements risquent de persister si vous ne vous y attaquez pas suffisamment tôt. Ils sont au nombre de trois. Beaucoup de chiots urinent quand ils font la fête. Si le phénomène n'est dû qu'à leur excitation, cela leur passera, mais s'il traduit un sentiment d'insécurité, il risque de persister. Les voyages en voitures peuvent provoquer chez les chiens qui n'y sont pas habitués des nausées ou une surexcitation. Enfin, certains chiens mangent ce qu'ils ne devraient pas, comme leurs excréments ou ceux d'autres animaux. Prévenir ou traiter ces troubles est possible.

Il urine

La miction sous le coup de l'excitation est due au fait que les sphincters du chiot ne sont pas assez puissants pour retenir l'urine quand il s'excite. Le problème disparaît quand sa musculature se renforce.

La miction de soumission entre dans une autre catégorie de problèmes. Les chiens ont développé des comportements destinés à réduire la violence dans leurs rapports. Pour prévenir une attaque, le chien qui occupe une position inférieure dans la hiérarchie s'aplatit, se retourne ou urine, ou les trois à la fois. La miction de soumission est un moyen pour votre chiot de reconnaître votre supériorité et de vous dire « Je ne mérite pas que tu me dises bonjour ».

La prévention

Votre famille et vos amis dominent forcément votre chiot par la taille. Tout le monde cherche le contact avec lui et se penche pour le toucher ou le soulever de terre. On le caresse parfois sur la tête ou les épaules. Un chiot craintif interprète tous ces comportements comme ceux d'êtres dominants et réagit par un geste de soumission, à savoir la miction.

La miction de soumission traduit un manque de confiance en soi et n'a rien à voir avec l'apprentissage de la propreté.

Évitez les comportements susceptibles de déclencher la miction de soumission quand vous lui dites bonjour. Ne vous occupez pas de lui, ne le regardez pas, ne vous penchez pas vers lui sans raison. S'il n'urine pas, murmurez quelques mots pour qu'il entende votre voix, mais ne le regardez toujours pas. Donnez-lui enfin une friandise pour le récompenser de ne pas avoir fait pipi. Physiologiquement, le chien a du mal à manger et à uriner en même temps. Quand vous avez des invités, demandez-leur de faire comme si votre chiot n'existait pas. S'il a l'habitude de s'exciter, mettez-le dans son parc.

Les voyages en voiture

Commencez à emmener votre chiot en voiture dès que vous l'avez. Idéalement, installez-le dans sa cage, à l'arrière de la voiture. Quand vous commencez à le dresser, prévoyez des séances dans la voiture à l'arrêt. Si votre chiot est malade dès que vous roulez, installez-vous dans la voiture, moteur éteint et radio allumée. Donnez-lui des friandises ou un jouet qu'il aime pour le récompenser de ne pas haleter d'excitation et de ne pas avoir de nausées. Quand il commence à rester calme, mettez-le progressivement en confiance : allumez le moteur, déplacez la voiture de quelques mètres et revenez immédiatement, puis roulez sur des distances de plus en plus longues. S'il a vraiment le mal des transports, votre vétérinaire lui prescrira des anti-nauséeux.

QUESTIONS-RÉPONSES

Que faire si mon chiot mange des excréments d'animaux ?

Même si c'est dégoûtant, il n'y a rien d'anormal : le chien est un nécrophage. Mais ce n'est pas pour autant souhaitable, en raison de risques de troubles digestifs. La coprophagie devient vite une habitude. Sauf en cas de déficit nutritionnel, les traitements consistant à ajouter de la papaïne, du potiron ou de l'ananas dans son alimentation sont inefficaces. Ne le grondez pas sévèrement, mais éduquez-le pour qu'il obéisse quand vous lui dites « Au pied » et « Pas toucher ». La thérapie par l'aversion fonctionne aussi. Si votre chien a, par exemple, l'habitude de manger les crottes dans la litière du chat, aspergez-les d'un produit au goût désagréable mais sans danger (comme le Tabasco). Une fois qu'il y aura goûté, il ne recommencera pas.

La litière du chat est parfois tentante.

Les peurs

LES SIGNES DE PEUR

La peur est une réaction naturelle, au cœur du dispositif de survie mis en place par tout animal. En principe, les jeunes chiots ne ressentent pas la peur mais il arrive que ce sentiment se développe vers l'âge de deux mois. La peur est un phénomène physiologique. Les processus chimiques qui l'accompagnent se traduisent par de nombreux signes, comme la dilatation des pupilles ou le tremblement. La peur déclenche des comportements acquis, le plus courant étant la morsure. Dans la mesure où c'est une émotion basique que l'homme connaît également, les signes sont généralement faciles à détecter :

- Halètement ou respiration courte.
- Tremblement.
- Claquement de dents, parfois accompagné d'une salivation intense.
- Babines retroussées.
- Queue entre les jambes et croupe abaissée.
- Pupilles dilatées.
- Il cherche refuge derrière vos jambes.
- Il se tapit sous les meubles.
- Il se fige comme une statue (les comportementalistes parlent de « conservation-retrait » ou de « désespoir acquis »).
- Il veut être dans vos bras ou grimper sur vos genoux.
- Tentative de fuite.
- Aboiements ou grognements.
- Morsure.
- Perte de poils.
- Sensibilité accrue au toucher (qui rend les piqûres plus douloureuses chez le chien anxieux.
- Accélération du rythme cardiaque.
- Sensibilité accrue au bruit.
- Perte d'appétit.

Tous les chiens sont plus ou moins peureux. Ceux qui n'ont pas été confrontés très jeunes à toutes sortes de spectacles, saveurs et odeurs ont le plus de chances de développer des comportements anxieux. Néanmoins, même un chien parfaitement socialisé peut d'un seul coup avoir peur de quelque chose. Ma chienne Macy s'enfuyait de la cuisine à chaque fois que quelqu'un ouvrait le placard à casseroles. Les signes légers de peur ou de timidité (par exemple reculer ou prendre un air inquiet) sont très fréquents. En revanche, les cas d'agression déclenchée par la peur sont plus graves, car le chien se met à grogner et à mordre.

N'aggravez pas la situation

Vous êtes chez le vétérinaire et votre chien se cache derrière vos jambes. Vous réagissez en lui parlant doucement, en le caressant pour le rassurer et en lui disant de ne pas s'inquiéter. Cette réaction maternelle est instinctive, mais vous récompensez inconsciemment votre chien pour son comportement peureux. Finalement, vous renforcez sa peur. C'est tellement facile de conforter involontairement un chien dans une attitude de timidité, d'appréhension ou de peur. Le maître croit bien faire et s'étonne que le chien continue à rester blotti dans un coin alors qu'il lui a dit qu'il n'avait rien à craindre.

Tout peut lui faire peur

Le chien peureux ou timide est stressé par une situation inhabituelle, par l'isolement ou simplement par la sensation de perte de contrôle. Il peut être effrayé parce qu'on lui demande de faire quelque chose qu'il appréhende, par exemple marcher sur un sol brillant. Les bruits forts, comme le tonnerre et les feux d'artifice, ou même des gens qui crient ou se disputent peuvent générer une peur, de même que les jeux un peu brutaux. D'autres sont effrayés par le bruit de la machine à laver qui essore le linge, par les avions qui passent, par le journal qui tombe dans la boîte aux lettres, par le crépitement d'un feu de cheminée ou le bruit de l'aspirateur. Ne cherchez pas de cause logique à sa peur, admettez-la, éliminez-la si vous l'avez identifiée et désensibilisez-le progressivement. Faites-vous aider par un comportementaliste expérimenté qui établira un programme adapté à la situation.

Maîtriser les peurs

Pour faire face à la peur, le chien a développé un comportement défensif inné. Le meilleur moyen de supprimer sa peur, c'est soit de soustraire le chien à la situation qui la déclenche, soit de supprimer les visions, les sons, les odeurs

Le chien inquiet ou anxieux se réfugie en général derrière des jambes connues avant d'aboyer ou de grogner. Le fait de le rassurer ne fait que renforcer ce comportement.

Utilisez une longe pour récupérer votre chien quand il se cache sous les meubles.

ou les événements générateurs de stress. Pour sa sécurité, tenez-le en laisse de manière à ce qu'il ne s'enfuie pas devant ce qui l'effraie. Laissez-lui des moments de repos physique et mental. S'il n'y arrive pas tout seul, incitez-le à se calmer par le biais d'activités qui impliquent de rester détendu, par exemple mordiller une friandise. Faites-lui faire de l'exercice sans l'énerver, en le promenant en laisse dans un endroit tranquille. Quand il commence à être moins timide ou stressé, laissez-le courir en liberté plus souvent, mais guettez les éléments susceptibles de déclencher une peur et évitez-les.

La désensibilisation
Un bon éducateur peut vous aider à mettre au point un programme de désensibilisation adapté aux peurs de votre chien. Quel que soit le problème, le programme est très structuré. Votre objectif est de récompenser votre chien pour ne pas avoir manifesté de peur en présence de l'élément qui la génère habituellement.
S'il s'agit d'un élément visuel (chiens ou personnes par exemple), on cherche la distance critique au-delà de laquelle il n'a plus peur et on la réduit progressivement. S'il s'agit d'un son, on cherche l'amplitude à laquelle il ne suscite aucune

réaction et on monte progressivement le volume. Récompensez-le toujours quand il reste calme. La désensibilisation prend en général moins d'un mois.

Il craint la main qui s'approche
Les chiens abandonnés ont très souvent peur quand on approche la main d'eux. On pense généralement que c'est parce qu'ils ont été battus auparavant. C'est sans doute vrai pour certains chiens mais, pour beaucoup, cette peur est due au fait qu'ils n'ont pas eu l'habitude d'être caressés. Ils doivent apprendre à faire confiance à la main de l'homme.
Si le vôtre a peur de votre main, évitez de lui tapoter la tête ou de tendre la main pour le caresser, car ces gestes risquent de l'impressionner. Mettez-vous à son

niveau, en évitant le contact visuel au début, et tendez-lui une friandise. Ne l'empoignez jamais et faites des gestes très lents. Touchez-le d'abord au niveau de la poitrine ou sous le menton. Récompensez-le d'une voix douce et avec d'autres friandises s'il ne manifeste aucune appréhension.

Il a peur des bruits forts

Les voitures qui pétaradent, les camions qui chargent ou déchargent leur marchandise, les feux d'artifice, le tonnerre, les hurlements des enfants et les cris des adultes sont autant de bruits qui peuvent surprendre le chien et l'inquiéter. Beaucoup de chiens, indifférents auparavant, deviennent peureux en vieillissant. Si votre chiot n'a pas peur du tonnerre actuellement, rien ne dit que ce ne sera pas le cas plus tard. Il est intéressant de chercher à comprendre pourquoi, mais surtout de savoir comment réagir. Cette peur est si répandue qu'on trouve dans le commerce des systèmes pour aider à

désensibiliser les chiens. Des CD reproduisant le son du tonnerre ou des feux d'artifice, par exemple, sont en vente sur Internet ou chez certains vétérinaires. Les plus efficaces sont ceux qui sont accompagnés d'un livret écrit par un vétérinaire comportementaliste pour expliquer comment l'utiliser. Si votre chien craint le tonnerre, commencez votre programme de désensibilisation au moins un mois avant le début de la période des orages. Comptez trois semaines minimum (le plus souvent six) pour vraiment le désensibiliser.

Il mord par peur

Inca, la chienne Labrador de mon fils, a passé la première année de sa vie dans un isolement relatif, sur une île où vivaient deux chiens seulement. Ils la mordaient à chaque fois qu'elle s'en approchait. Inca a donc appris à aimer les hommes, mais à craindre ses congénères. Quand elle est venue vivre en ville,

elle avait peur de tous les chiens. Quand l'un d'entre eux s'approchait, elle s'aplatissait d'un air soumis, puis elle retroussait les babines et menaçait de le mordre. Elle anticipait : plutôt que d'attendre de se faire mordre, elle était désormais capable de mordre par peur. Il a fallu la dresser en lui faisant accomplir des tâches incompatibles avec la morsure, par exemple rapporter un jouet, à chaque fois qu'elle rencontrait un chien. Il ne faut jamais forcer un chien qui a peur à s'approcher de l'objet de sa crainte. Et s'il mord, les conseils d'un livre ne suffiront pas. Adressez-vous à un éducateur canin recommandé par votre vétérinaire.

Si votre chien a peur de votre main, tendez-lui à manger.

L'agressivité

L'agressivité est un comportement aussi naturel chez le chien que chez l'homme. Elle ne se soigne donc pas. Le niveau d'agressivité d'un chien dépend de celui de ses parents (origine génétique), de la façon dont sa mère et l'éleveur l'ont élevé, des relations qu'il a eues avec ses frères et sœurs, de l'éducation que vous lui avez donnée, de son vécu, de sa santé physique et mentale, et même de son régime alimentaire. Les facteurs déclencheurs sont très variables tout comme les formes d'agression. Une éducation précoce et attentive peut suffire à canaliser l'agressivité, à condition de comprendre les causes du comportement du chien.

FACTEURS MÉDICAUX

Les problèmes dentaires, les cycles hormonaux, la fièvre, la douleur, les troubles endocriniens (dérèglements thyroïdiens par exemple) et, évidemment, des maladies comme la rage peuvent rendre le chien agressif. C'est aussi le cas de certains médicaments (antidépresseurs, sédatifs, médicaments contre l'incontinence urinaire, anti-nauséeux). Si votre chien devient agressif subitement ou sans raison, consultez votre vétérinaire.

L'escalade

Les chiens utilisent toutes sortes de postures corporelles pour éviter l'agression ouverte. Quand le message corporel ne passe pas, le chien mord. Les comportementalistes parlent d'une escalade dans l'échelle de l'agression, par laquelle tous les chiens passent avant de mordre.

En général, le chien s'arrête, son regard se fige, ses pupilles se dilatent, sa respiration s'accélère, il émet un grognement sourd, retrousse une babine pour montrer une canine, gronde, aboie, cherche à mordre ou émet un grognement encore plus sourd, retrousse les deux babines pour montrer toutes ses dents et, enfin, mord. Malheureusement, certains chiens brûlent plusieurs étapes, voire presque toutes. Ne vous imaginez pas que votre chien va se comporter exactement comme dans les livres. Guettez le moindre signe

L'agressivité est aussi naturelle que l'alimentation et le sommeil. Les chiens bien dressés apprennent très tôt à se contrôler.

L'agression simulée pendant les jeux est normale. C'est un moyen de se dépenser et de se tester mutuellement

d'agressivité incontrôlée, et tentez de la maîtriser en attirant physiquement et mentalement votre chien vers autre chose.

Les types d'agression

Pour comprendre pourquoi votre chien est agressif, vous devez d'abord appréhender le contexte dans lequel il l'est. La timidité et la peur peuvent déclencher une agressivité réactionnelle (voir p. 160-163), comme la douleur. À l'autre bout du spectre, on trouve des chiens intelligents, sûrs d'eux, qui prennent l'initiative de l'agression. Ils provoquent les autres chiens, souvent du même sexe qu'eux, ou se jettent sur celui auquel leur maître s'intéresse avant eux. Le comportement dominant du mâle ou l'agressivité maternelle mettent en cause les hormones sexuelles, tandis que l'agressivité envers le bétail et les autres animaux s'explique par l'instinct prédateur du chien. Certains deviennent agressifs par frustration, surtout à l'occasion de jeux un peu brutaux. D'autres sont dressés pour être agressifs ou ont hérité d'une prédisposition plus élevée que la normale à une certaine forme d'agressivité. Il existe ainsi le « syndrome de dysthymie », qui touche très souvent les Cockers à robe unie (voir p. 24-25), mais très peu ceux à robe particolore.

L'agressivité du chien est-elle liée au maître ?

Bien sûr. Certaines personnes éduquent leur chien pour le rendre agressif, mais d'autres exercent une influence plus subtile. Il y a plus de dix ans, une étude de psychologues et des comportementalistes de l'université de Cambridge (Grande-Bretagne) indiquait que les propriétaires de Cockers extrêmement agressifs (voir p. 24-25) étaient souvent plus nerveux, indisciplinés ou moins stables sur le plan affectif que les propriétaires de Cockers moins agressifs. D'après une étude danoise de 2003, l'agression hiérarchique est plus importante chez les chiens dont les maîtres sont jeunes ou ont une connaissance limitée de la race de leur chien.

L'agressivité envers les chiens

Au sein d'un même foyer, l'agressivité entre chiens du même sexe (surtout les femelles) est plus fréquente qu'entre chiens de sexe opposé. Les bagarres entre femelles sont aussi plus violentes que celles qui opposent des mâles. Quant aux jeunes chiots, ce sont souvent eux qui déclenchent les querelles…

À l'extérieur de la maison, les conflits ne sont pas si fréquents. Ma clinique est située entre deux grands parcs très

Les chiots plus âgés, plus grands ou plus forts essaient souvent de dominer ceux qui sont plus jeunes, plus petits ou moins sûrs d'eux. Stoppez rapidement toute manifestation d'agressivité.

fréquentés, où les chiens sont libres de gambader en liberté. Quand il y a une bagarre violente, j'ai de grandes chances de voir le perdant, et cela ne se produit pas plus d'une fois toutes les sept semaines. N'essayez pas d'éviter le problème en promenant votre chien à une heure où les autres ne sont pas de sortie, car il a besoin d'avoir une vie sociale. Sachez qu'un professionnel peut vous aider à trouver une solution en quelques semaines.

L'agressivité envers les gens

L'agressivité est la première cause de consultation chez un comportementaliste. Cela ne signifie pas que c'est le problème le plus fréquent, mais c'est celui qui

préoccupe le plus les maîtres. À la maison, votre chien peut par exemple adopter ce comportement pour exprimer un sentiment négatif : il devient menaçant ou cherche à mordre dès qu'il se dit par exemple « je n'aime pas qu'on me prenne mes affaires », « je n'ai pas envie de partager ma nourriture », « je n'ai pas envie que cet enfant me prenne dans ses bras » ou « je n'ai pas envie de bouger de là ». On appelle cela le conditionnement à l'évitement. Le chien apprend que l'agressivité est efficace, puisqu'elle lui permet de faire comme bon lui semble.

Ce n'est pas de l'agression hiérarchique. Contrairement à une idée largement répandue, l'agression hiérarchique – qui permet au chien de s'affirmer comme chef de meute – s'observe rarement au sein d'un foyer. Votre chien peut se montrer agressif envers vous parce qu'il n'a pas envie que vous le touchiez, mais pas parce qu'il cherche à prouver que c'est lui qui commande chez vous.

Les morsures d'enfants

En Europe, ce sont les enfants (surtout les garçons) de moins de 14 ans qui ont le

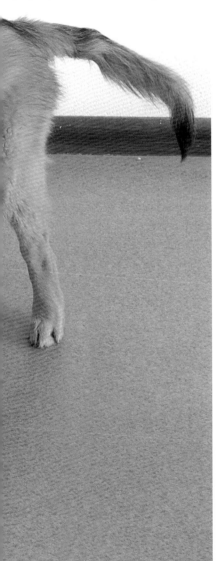

plus de risques d'être blessés par un chien, blessés signifiant en général mordus. Ils fixent facilement l'animal du regard et sont tentés de caresser ou de câliner un chien en apparence mignon, mais effrayé par leurs gestes brusques. La plupart des morsures ont lieu quand les enfants sont laissés sans surveillance avec un chien. Ne les laissez jamais seuls en présence l'un de l'autre. Les petits doivent apprendre le plus tôt possible comment se comporter avec les chiens.

Alors que les personnes âgées sont surtout mordues aux bras ou aux jambes, les jeunes enfants le sont à la tête et au visage, ce qui peut être mortel.

La punition est-elle efficace ?

Le moment où le chien doit être puni pour comprendre qui est le maître n'est pas facile à déterminer. Il suffit d'une fraction de seconde pour provoquer un conflit affectif avec votre chien, qui se dit : « Je t'aime mais tu me fais peur ». Pour lui, vous devenez incohérent et menaçant. Par conséquent, évitez de le punir. Si votre chien manifeste de l'agressivité sous une forme ou sous une autre, faites-vous aider par un éducateur professionnel qui utilise des méthodes

de renforcement positif. Dans certains cas, la punition sous contrôle de l'éducateur canin est nécessaire, à condition de ne pas chercher à faire mal.

Si les problèmes persistent...

Certains chiots oublient ce qu'ils ont appris face aux tentations que la vie peut leur offrir et se font une joie de s'immiscer dans une partie de ballon ou un pique-nique familial. Quant aux chiens adultes, ils ont parfois des manières d'agir bien ancrées : sauter sur les gens, tirer sur la laisse ou aboyer comme des fous. Dans tous les cas, l'éducation est plus compliquée parce qu'il ne s'agit pas seulement de leur apprendre à bien se tenir, mais de leur faire perdre leurs mauvaises habitudes. Désapprendre est bien plus difficile qu'apprendre. Résoudre les problèmes comportementaux exige toujours plus de patience que d'inculquer les règles de base. Cependant, avec l'aide d'un éducateur expérimenté, la mission n'est pas impossible.

PAS DE DEMI-MESURES

Si vous commencez à dire aux gens que votre chien « n'est pas fan des enfants », ou qu'il « n'aime pas trop qu'on approche la main », vous allez au-devant de problèmes. N'attendez pas qu'un accident se produise. Votre chien ne va pas changer en grandissant. En fait, plus son comportement prend la forme d'une réaction acquise, plus il sera difficile à modifier. Il faut donc agir dès maintenant. Demandez conseil à un éducateur canin.

Il a pris de mauvaises habitudes

Si votre chien tire sur sa laisse, reprenez les conseils donnés dans le chapitre précédent (voir p. 136-137). Certains chiens tirent pour se dégager de la traction exercée par le collier. Dans ce cas, utilisez un licol tel qu'utilisé par les éducateurs canins (voir p. 151) pour vous aider à reprendre son contrôle. Il permet en effet de tourner la tête du chien sans être obligé de faire soi-même contrepoids.

Réapprenez-lui le rappel (voir p. 128-129) s'il a pris l'habitude de se mêler aux activités des gens quand vous le laissez courir en liberté. Tant que vous n'êtes pas sûr à 100 % que votre chien reviendra avant de le détacher, laissez-lui sa longe. S'il saute sur les gens, reprenez ou continuez le dressage pour l'en empêcher (voir p. 138-139). Assurez-vous que tout le monde à la maison a une réponse cohérente face à son comportement et que personne ne le récompense en s'intéressant à lui. Cela peut être

S'il ne veut pas vous rendre ce que vous lui avez lancé, n'essayez pas de lui reprendre par la force.

exaspérant et prendre plus de temps que vous ne le souhaiteriez.

Le meilleur moyen pour passer moins de temps à lui faire perdre ses mauvaises habitudes et vous sentir moins frustré face à un problème persistant est de faire appel à un professionnel.

Il aboie très fort

En général, les petits chiens aboient davantage que les gros ; mais quelle que soit leur taille, les aboiements excessifs créent une nuisance qui s'amplifie à mesure que les chiens grandissent. La plupart des chiens aboient parce qu'ils sont excités ou qu'ils s'ennuient, non par agressivité. Cela peut paraître étrange, mais le meilleur moyen de le dresser pour qu'il cesse d'aboyer, c'est de lui apprendre à aboyer sur commande puis à se taire. S'il a l'habitude d'aboyer quand on sonne à la porte, dites « Aboie » et faites-le aboyer en ayant demandé au préalable à quelqu'un d'actionner la sonnette. Récompensez-le quand il se tait. S'il aboie quand il est en voiture et que vous démarrez le moteur, procédez de même, en demandant à quelqu'un de mettre le contact. Avec de l'entraînement, il aboiera sur commande, même s'il n'entend pas la sonnette ou le moteur de la voiture. Il est alors prêt à apprendre également à se taire sur commande. N'essayez pas de lui apprendre à se taire en actionnant la sonnette ou en faisant démarrer le moteur, car il serait trop excité. Dites-lui « Aboie » puis « Tais-toi » et associez à cet ordre une friandise et des félicitations. Alternez les deux ordres jusqu'à ce qu'il y réagisse correctement. Vous pourrez ensuite le mettre dans un contexte dont vous savez qu'il provoque des aboiements excessifs et lui demander de se taire plutôt que de le gronder s'il est trop bruyant.

L'éternel problème…

Ah ! le chien qui tire sur sa laisse ! Si le vôtre continue ou recommence à le faire, rappelez-vous qu'il faut lui démontrer qu'il n'obtiendra rien. S'il tire et qu'il vous emmène là où il veut aller, vous l'habituez involontairement à tirer. Si quelqu'un d'autre que vous le promène, il doit appliquer la même méthode. À chaque fois que votre chien tire, arrêtez-vous. Utilisez une laisse courte pour lui permettre de faire quelques pas devant vous et arrêtez-vous dès qu'elle se tend. S'il continue à tirer, appelez-le par son nom et secouez la laisse pour attirer son attention. Ramenez-le à côté de vous, donnez-lui une friandise et reprenez votre marche, en le récompensant si la laisse reste lâche.

Ce chien joyeux saute au visage de sa maîtresse et cherche à attraper ses vêtements, par jeu et pour attirer son attention. Il doit cependant impérativement être dressé à ne pas agir ainsi.

Chapitre 5
Santé et soins

L'hygiène du chien

Certes, les chiens ressentent aussi la douleur, mais ils ne l'expriment pas, sauf quand elle devient insupportable. Soyez attentif : observez votre chien au quotidien. Habituez-le à se laisser prendre dans les bras et toucher. Vous pourrez ainsi veiller à sa bonne santé tout en renforçant la relation qui vous unit. En repérant rapidement les problèmes, vous serez à même de les régler plus facilement.

QUESTIONS-RÉPONSES

Doit-il avoir la truffe froide et humide ?

En principe oui, mais un chien peut aussi avoir la truffe chaude et sèche sans pour autant être malade. C'est souvent le cas quand il dort. Si votre chien a toujours la truffe froide et humide et qu'elle devient soudain chaude et sèche, cherchez d'autres signes (de la fièvre par exemple) qui pourraient indiquer qu'il ne va pas très bien.

Auscultez-le

Vous devez pouvoir inspecter n'importe quelle partie de son corps, des pattes à la truffe en passant par la croupe sans qu'il réagisse. Faites un examen complet au moins une fois par semaine. S'il y a un endroit qu'il n'aime pas que vous touchiez, faites une tentative juste avant un repas. Il comprendra vite que, s'il reste calme, il sera récompensé. S'il est petit ou de taille moyenne et que vous l'installez sur une table (solide) pour l'examiner, posez un tapis de baignoire antidérapant. Votre chien se sentira plus en sécurité que sur une surface glissante. En habituant votre chien à se laisser manipuler à la maison, vous facilitez la tâche de tous ceux qui sont amenés à le toucher et à l'examiner (vétérinaire, toiletteur…).

Les yeux

Prenez un coton humide pour essuyer les saletés accumulées autour de l'œil pendant la nuit. Surveillez tout écoulement suspect ou inflammation. La conjonctivite (inflammation de la muqueuse des yeux) se traduit par une rougeur, un gonflement et un écoulement aqueux ou mucoïde. En cas d'infection, ce dernier devient jaune verdâtre. Une visite chez le vétérinaire s'impose alors. Une réaction allergique peut s'accompagner d'éternuements ou de démangeaisons.

Examinez soigneusement son conduit auditif : il ne doit être ni enflammé ni malodorant.

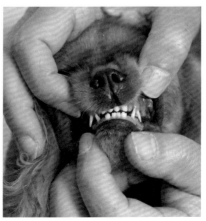

Ce chiot a déjà ses incisives définitives, mais il a encore ses canines de lait.

Les yeux sont propres et brillants, sans aucun signe d'inflammation ni écoulement.

Les oreilles

Surveillez les inflammations ou écoulements inhabituels, les accumulations de cérumen. S'il a les oreilles poilues, retirez-lui quelques poils tous les jours avec vos doigts (préalablement talqués) ou une pince à épiler ; n'oubliez pas de le récompenser après.

S'il se met à secouer frénétiquement la tête, pensez au corps étranger (épillet de graminée par exemple). Celui-ci n'est en général pas visible car il est enfoncé dans le conduit auditif. Emmenez-le immédiatement chez votre vétérinaire. Vous pouvez apaiser un peu la douleur avec quelques gouttes d'huile d'olive.

La région anale et la vulve

La région anale doit être propre et inodore, sans signe d'écoulement ou d'inflammation. En cas de pertes vaginales, consultez votre vétérinaire. Les chiens n'aiment pas qu'on leur examine cette partie du corps, et les maîtres n'ont pas forcément envie non plus d'aller inspecter leur chien de ce côté-là, mais il est important que cette zone reste aussi propre et saine que les autres. Ayez recours aux récompenses pour l'habituer à vous laisser soulever sa queue et inspecter la région anale. Chez les vieux chiens qui se lèchent beaucoup ou qui se frottent l'arrière-train sur le sol, observez bien l'état de la peau. Il arrive qu'une glande anale (voir encadré ci-contre) s'infecte et qu'un abcès se forme. Au début, on observe un gonflement au-dessus de la glande, sous la peau, à gauche ou à droite. Si l'abcès éclate, un écoulement ou une croûte apparaît au niveau de la perforation.

Les vieux mâles (et parfois les femelles stérilisées) peuvent développer des tumeurs bénignes de l'anus. Avec un gant jetable, palpez de temps en temps la peau de l'anus pour voir si aucune induration ne s'est formée sous la peau. Si vous sentez quelque chose d'anormal, contactez votre vétérinaire. Un cancer des testicules peut aussi apparaître chez les mâles entiers âgés. Tâtez-les de temps en temps : ils doivent être symétriques et lisses. Si vous observez une différence entre les deux, consultez votre vétérinaire.

Si vous avez une femelle, examinez sa vulve et la peau qui l'entoure. La vulve doit être visible, il ne doit pas y avoir d'écoulement et la peau ne doit pas être souillée. Certains chiots, en particulier les Boxers et les Carlins, dont les cuisses sont très musclées, naissent avec une petite vulve difficile à distinguer. Ils sont sujets aux vaginites (inflammation s'accompagnant de pertes) jusqu'à leurs premières chaleurs ; ensuite, la vulve se modifie et grossit. Si vous constatez que les poils sont fortement souillés, que la chienne a des pertes ou qu'elle dégage une mauvaise odeur, contactez votre vétérinaire.

La région anale, y compris les poils qui entourent l'anus, doit être propre et inodore.

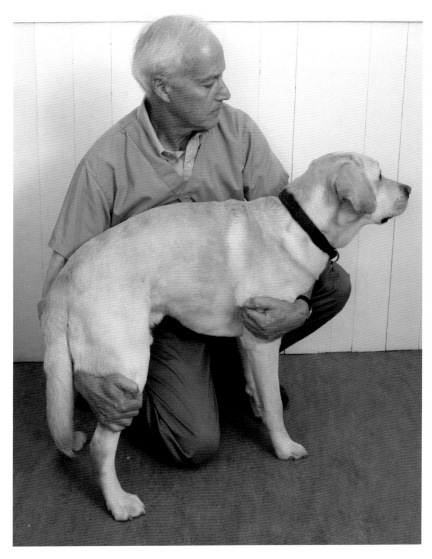

Passez le bras sous les épaules et l'arrière-train pour l'empêcher de se débattre.

Comment le soulever

N'essayez pas de soulever tout seul votre chien s'il appartient à une race géante, comme le Dogue allemand (voir p. 43). Il faut être deux : l'un soulève les membres antérieurs et l'autre l'arrière-train, de manière à ce que la partie la plus musclée du chien supporte le poids de son corps. Passez un bras sous sa cage thoracique plutôt que de lui comprimer le ventre. Pour soulever un petit chien, mettez une main derrière sa croupe et l'autre sous sa poitrine. Pour soulever un chien moyen ou grand, évitez de trop comprimer sa cage thoracique ou son abdomen. Mettez un bras autour de sa poitrine et l'autre autour de la croupe et amenez son corps vers vous. Relevez-vous en vous servant de vos jambes et en gardant le dos bien droit.

Comment le porter

Appuyez-le contre vous quand vous le soulevez ou que vous le transportez. S'il est blessé, muselez-le avant de le soulever pour qu'il ne vous morde pas sous l'effet de la douleur.

Observez son comportement

Pour un chien, la vie est une succession de rituels. Tout changement doit vous mettre la puce à l'oreille : le chien n'a plus envie de jouer, dort beaucoup plus, vous colle, est brusquement irritable, moins vif, a peur ou se cache, ne veut plus qu'on le touche, est surexcité ou désorienté.

Observez ses mouvements

Guettez tout changement, ainsi que les signes tels qu'une mauvaise odeur ou une respiration différente. Si sa respiration devient haletante, sifflante, difficile, rapide, courte ou anormalement lente, emmenez-le immédiatement chez le vétérinaire.

Consultez également le plus vite possible si votre chien titube, si son ventre est gonflé ou s'il essaie d'uriner ou de déféquer sans succès. Faites de même s'il tourne en rond, peine à trouver une

PESER UN CHIEN LOURD

Si vous voulez peser votre chien (moyen ou gros), prenez-le dans vos bras et pesez-vous ensemble sur votre balance de salle de bains. Ensuite, pesez-vous et faites la soustraction. Une pesée régulière permet de suivre la variation de poids.

position confortable, a du mal à supporter la lumière, les sons ou les contacts physiques, s'il ne tient pas en place, s'il est très lent ou s'il a du mal à se lever ou à se coucher, ou encore si une zone particulière se met à enfler.

De la tête aux pieds

Examinez régulièrement votre chien en passant vos mains sur son corps. Cet examen ne prend pas plus de deux minutes :

1. Passez vos mains sur sa tête, sa face, sa gorge et son cou.

2. Tournez-lui la tête à gauche, à droite, vers le haut et vers le bas. La résistance peut être un signe de douleur.

3. Passez vos mains sur son dos, ses flancs, sa poitrine et ses antérieurs, en écartant de temps en temps les poils. La peau doit être propre et il doit avoir peu ou pas de pellicules.

4. Passez vos mains sur ses hanches, ses cuisses, son abdomen, ses aines et ses postérieurs. Ces parties doivent être fermes et symétriques. Chez le mâle entier, il est normal qu'un liquide inodore (appelé smegma) s'écoule du prépuce.

Observez son comportement. S'il urine plus que d'habitude, parlez-en à votre vétérinaire.

5. Inspectez la région anale, les testicules ou la vulve, et la queue. Toute cette zone doit être propre, lisse et inodore.

6. Pliez chacune de ses pattes. Il doit se laisser faire. S'il essaie de reposer délicatement sa patte par terre, celle-ci lui fait peut-être mal.

7. Examinez ses pieds, ses coussins et ses ongles.

La température

La température normale du chien oscille entre 37,8 et 38,9 °C. Ne prenez pas la température de votre compagnon par la gueule ou par le rectum s'il ne le supporte pas. Si votre chien est équipé d'une puce électronique

Les thermomètres numériques sont peu coûteux, faciles à lire et précis.

détectant la chaleur, investissez dans un lecteur de puce (comme votre vétérinaire) pour lire simplement sa température. Si sa température est très basse (moins de 37 °C) ou très haute (plus de 40 °C), conduisez-le immédiatement chez un vétérinaire.

Soins et hygiène générale

Lavez votre chien. Utilisez un collier et une laisse en nylon si besoin.

Une tique meurt en principe au bout de 36 heures ; si vous en trouvez une, retirez-la avec une pince à épiler ou un crochet à tiques. Les puces se trahissent par la présence de particules noires dans le poil.

Poil court ou soyeux

Un poil court et lisse comme celui du Carlin (voir p. 36) ou du Boxer (voir p. 33) est facile à entretenir. Brossez-le une fois par semaine à contresens avec une brosse en poil de sanglier ou une peau de chamois. Vous stimulerez ainsi les glandes sébacées et masserez les muscles. Certaines races comme le terrier du Yorkshire (voir p. 34) et le Bichon maltais (voir p. 49) ont un poil long et soyeux, mais pas de sous-poil protecteur. Brossez-le avec douceur, en évitant les brosses à picots qui écorchent la peau. Démêlez les nœuds tous les jours avec une étrille, en finissant avec une brosse en poil de sanglier et un peigne.

La peau et le poil

L'état de la peau et du poil de votre chien est un bon indicateur de son état de santé général. Un poil terne ou des pellicules traduisent des troubles internes et justifient une visite chez le vétérinaire. Habituez votre chien à un examen quotidien et vérifiez qu'il n'a pas de parasites (tiques et puces). Les traitements préventifs sont efficaces contre les puces, mais ils ne le sont pas toujours contre les tiques.

SHAMPOINGS ET APRÈS-SHAMPOINGS

Choisissez un shampoing correspondant au type de poil de votre chien et à son état. Le plus sûr est le shampoing doux pour bébé, mais il existe des shampoings spécifiques, adaptés à chaque problème (dermatite atopique par exemple).

Type de shampoing	Besoins
Traitant (avec après-shampoing)	Tous types de poil, sauf dur
Péroxyde de benzoyle et goudron	Atténue les démangeaisons
Lait d'avoine et aloe vera	Atténue les démangeaisons
Hypoallergénique	Sans parfum et sans colorant
Embellisseur	Colorant, pour chiens d'exposition
Sec	Poudre pénétrant dans le poil au brossage

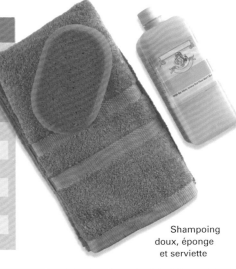

Shampoing doux, éponge et serviette

Si l'extrémité du poil n'est pas nette, effilez-la tous les mois aux ciseaux.

Le poil dur

Brossez-le deux fois par semaine avec une étrille ou une brosse en poil de sanglier, dans le sens du poil. Le poil dur est parfois dense. Désépaississez-le avec un peigne-couteau spécial (en vente dans les animaleries). Évitez les après-shampoings qui adoucissent trop le poil. Il existe des shampoings spéciaux qui préservent la dureté du poil tout en lui donnant du volume. Si vous connaissez un toiletteur qui maîtrise la technique du *stripping* (épilation) à la main, confiez-lui votre chien trois ou quatre fois par an.

Le poil court et dense

Le Labrador (voir p. 20-21) a le poil court, mais dense. C'est le sous-poil isolant duveteux et épais qui exige le plus de soins. Avec une étrille, brossez-le dans le sens du poil au moins deux fois par semaine. Pendant la mue, brossez-le à contresens pour faire tomber plus vite les poils morts. Brossez-le ensuite avec une brosse en poil de sanglier pour éliminer

les poils morts et finissez avec un peigne fin, en faisant attention aux poils fins de la queue et du cou.

Le poil long et dense

Le poil long et dense, comme celui du Golden Retriever (voir p. 26), exige plus de soins. Démêlez-le avec une étrille et utilisez une brosse à picots. Les poils longs (franges) – pattes, poitrine, arrière-train et queue – doivent être peignés. Coupez tous les mois l'extrémité des franges trop longues.

Le shampoing

Le sébum qui préserve naturellement l'étanchéité du poil a une odeur particulière. Les bactéries de la peau, qui prolifèrent dans les zones produisant trop de sébum, la renforce. Si votre chien sent mauvais, baignez-le ou douchez-le. Habituez-le très jeune à accepter d'être lavé. Utilisez éventuellement un collier et une laisse en nylon. Séchez-le avec une serviette éponge et/ou un sèche-cheveux réglé sur la température minimale.

Les brosses qui s'enfilent sur le doigt sont très pratiques.

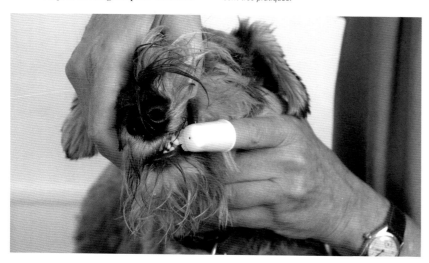

Les dentifrices pour chiens sont aromatisés et ne moussent pas.

Choisir son vétérinaire

En tant que vétérinaire, je suis régulièrement à la recherche de confrères, soit parce que j'ai besoin de leur collaboration, soit parce que je ne suis pas compétent pour soigner un problème particulier chez l'un de mes chiens. Certes, l'expérience clinique, le diagnostic et les qualités de chirurgien comptent, mais je cherche aussi des vétérinaires capables d'empathie vis-à-vis des chiens et de leurs maîtres. Est-ce que je leur confierais mes chiens les yeux fermés ? Telle est la question que je me pose.

QUESTIONS-RÉPONSES

Études vétérinaires

Il existe en France quatre écoles vétérinaires reconnues au niveau national que les étudiants intègrent après un concours difficile et sélectif : Maisons-Alfort, Lyon, Nantes et Toulouse. Certaines sont également des centres hospitalo-universitaires vétérinaires ouverts au public. La formation dure six ans, selon les trois cycles universitaires habituels. Un débouché de plus en plus prisé des études de médecine vétérinaire est l'industrie pharmaceutique ciblée sur le traitement des maladies animales.

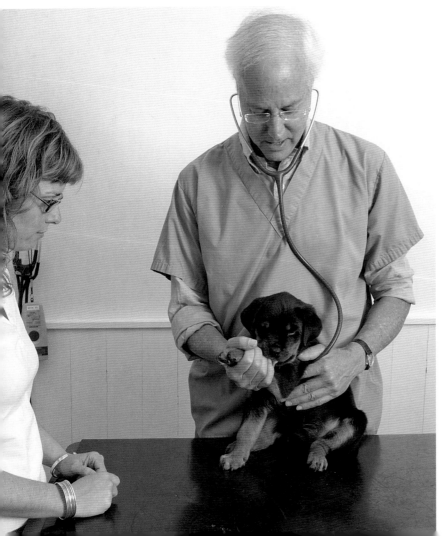

Les différents vétérinaires

En France, il existe quelque 12 500 vétérinaires, parmi lesquels les trois quarts sont installés en libéral avec une clientèle urbaine, mixte ou rurale. On trouve encore des cabinets vétérinaires qui soignent aussi bien le bétail que les animaux de compagnie, mais la plupart du temps, une personne se consacre uniquement aux petits animaux de compagnie (chiens, chats, lapins, animaux à fourrure, oiseaux). Les généralistes sont capables de diagnostiquer et de traiter l'immense majorité des cas qu'ils rencontrent. Pour les cas difficiles, ils ont recours aux spécialistes (dermatologie, cardiologie, neurologie, ophtalmologie).

Où aller ?

Les appellations autorisées pour les domiciles professionnels d'exercice de la médecine et de la chirurgie vétérinaire

Un bon vétérinaire doit considérer l'animal comme un individu.

La qualité du personnel auxiliaire compte autant que les compétences du vétérinaire.

cliniques, le matériel permettant la réalisation des analyses biologiques et biochimiques complémentaires, les appareils d'imagerie médicale. Un logement est prévu pour les personnes qui assurent le service permanent. Un centre hospitalier vétérinaire comprend une équipe pluridisciplinaire et est ouvert vingt-quatre heures sur vingt-quatre et sept jours sur sept. C'est le conseil régional de l'ordre des vétérinaires qui est chargé du contrôle de toutes ses obligations.

Assurances pour chiens

Il n'est pas inutile de prendre une assurance pour chiens. Les statistiques montrent que les assureurs perdent presque invariablement de l'argent la première année de la vie du chien, tout simplement parce que les chiots sont plus sujets aux accidents. Ils commencent à gagner de l'argent la deuxième année et jusqu'à la huitième année du chien, âge à partir duquel les maladies sont plus fréquentes. Si vous ne souhaitez pas donner votre argent à un assureur, évaluez les frais que va occasionner votre chien, selon sa race : mettez cette somme sur un compte qui rapporte. Dans tous les cas, soyez prévoyants : radiographies ou scanners coûtent cher.

---

sont le « cabinet vétérinaire », la « clinique vétérinaire » et le « centre hospitalier vétérinaire ». Sachez que la qualité du service n'est pas liée à l'une ou l'autre de ces appellations. La surveillance des animaux admis dans ces établissements doit être assurée par un personnel compétent et dévoué, dans de bonnes conditions de confort pour l'animal. Le propriétaire de l'animal admis ou hospitalisé est informé des conditions de cette surveillance. Des précautions sont prises pour isoler les animaux contagieux. Le vétérinaire assure la radioprotection de tous. Il veille au respect de la réglementation en vigueur en matière de protection de l'environnement concernant notamment les déchets d'activités de soins. Il doit en outre veiller à la formation professionnelle continue de son personnel soignant. Les conditions de stockage des médicaments doivent être en conformité avec le code de la santé publique.

Le cabinet vétérinaire

C'est un ensemble de locaux comprenant au moins un lieu de réception et une pièce réservée aux examens et aux interventions médicochirurgicales.

La clinique vétérinaire

Elle dispose de locaux distincts affectés à la réception, à l'examen clinique, à la radiologie, aux interventions chirurgicales et à l'hospitalisation des animaux. Il y a au moins deux zones d'hospitalisation séparées, l'une réservée aux animaux contagieux, l'autre aux animaux non contagieux, avec tous les équipements d'examens biologiques et radiologiques, ainsi que le matériel chirurgical. Elle emploie au moins un auxiliaire vétérinaire.

Le centre hospitalier universitaire

C'est un établissement de soins qui ajoute aux conditions ci-dessus des salles supplémentaires destinées aux examens

---

LE CONSEIL DU VÉTÉRINAIRE

- Ne transmettez pas votre appréhension à votre chien quand vous l'emmenez chez le vétérinaire.
  - Pour le rassurer, emportez quelques friandises et donnez-les lui sur place.
    - Vous n'avez pas à démontrer les qualités athlétiques de votre chien. Ne lui demandez pas de sauter sur la table d'examen. Soulevez-le pour l'y déposer.
- Sauf si le vétérinaire vous demande de vous mettre à l'écart, restez près de votre chien et tenez-le pendant l'examen.

Les soins courants

Mes chiens sont si gourmands qu'ils prennent les médicaments pour des friandises. Quand Inca m'entend sortir ses comprimés contre l'épilepsie de leur emballage, elle sort aussitôt de son sommeil et se rue dans la cuisine : elle associe ce bruit au morceau de mie de pain dans lequel je les cache.

En tant que vétérinaire, je suis amené à ouvrir des gueules pour y enfourner des médicaments, mais je vous conseille une méthode plus simple à la maison, même si elle passe par les friandises. Il est des circonstances où la corruption n'est pas à blâmer.

Lui faire avaler un comprimé

Quand je montre aux maîtres comment faire, cela paraît toujours simple, mais une fois rentrés chez eux, c'est une autre affaire. Quelle que soit l'énergie avec laquelle votre chien se débat, soyez intraitable car ce comprimé peut être vital pour lui. La ruse la plus simple consiste à le cacher dans quelque chose qu'il aime (attention : certains médicaments sont incompatibles avec les produits laitiers). Voici comment faire :

1. Ordonnez à votre chien de s'asseoir ou de ne pas bouger. S'il s'excite, calez-le entre vos jambes et faites-le asseoir.

2. Ouvrez-lui la bouche d'une main et relevez-lui la tête.

3. Posez le comprimé dans sa gueule, sur le dessus de la langue.

4. Maintenez sa tête légèrement relevée, fermez-lui la gueule et massez-lui la gorge.

5. S'il déglutit ou se lèche les lèvres, c'est qu'il a avalé le comprimé.

6. Félicitez-le et récompensez-le d'avoir été aussi coopérant.

Si cette technique n'est pas envisageable parce que votre chien a la face plate ou parce qu'il a mal quand on lui ouvre

Penchez-lui la tête vers l'arrière : le comprimé descendra dans la gorge.

Introduisez les liquides par le côté de la bouche pour éviter les fausses routes.

Approchez votre main par derrière quand vous mettez des gouttes.

la gueule, demandez à votre vétérinaire de vous prescrire le médicament sous forme liquide.

Lui faire avaler un liquide

Si vous préférez la forme liquide au comprimé, demandez à votre vétérinaire de vous donner une seringue. Une seringue de 5 ml équivaut généralement au contenu de la cuillère présente dans l'emballage.

1. Remplissez la seringue et introduisez-la entre ses canines, sans lui ouvrir les mâchoires.
2. Penchez-lui légèrement la tête et poussez sur la seringue en veillant à ce que le liquide s'écoule dans la bouche et pas à l'extérieur le long de ses lèvres. Ne le faites pas gicler au fond de la gorge car vous risquez d'en envoyer dans la trachée.
3. Laissez-le avaler.
4. Félicitez-le et récompensez-le.

Traiter yeux et oreilles

Les chiens n'apprécient pas qu'on leur mette des gouttes ou de la pommade. Dans les deux cas, essuyez l'excédent avec un morceau de coton imbibé d'eau tiède.

1. Ordonnez-lui de s'asseoir.
2. Tenez-lui la tête d'une main et approchez par-derrière celle qui tient les gouttes ou la pommade, de manière à ce qu'il ne s'aperçoive de rien et ne prenne pas peur.

Coupez l'ongle au ras de la partie rosée avec un coupe-ongle à guillotine. Soyez vigilant s'il a les ongles foncés.

3. Faites tomber une goutte de produit dans son œil ou dans son oreille.
4. Maintenez-lui l'œil fermé pendant quelques secondes pour laisser le temps au produit de se disperser, ou bien massez-lui le conduit auditif.

La coupe des ongles

Cette opération doit être effectuée régulièrement, en particulier si le chien est petit ou s'il est vieux et qu'il se dépense moins qu'avant. N'essayez pas de couper les ongles de votre chien tant qu'il n'a pas appris à s'asseoir et à se laisser faire quand vous lui prenez les pattes. S'il n'aime pas ça, faites un seul ongle à la fois, avant un repas. Demandez à votre vétérinaire de vous montrer comment

faire. La limite se voit facilement sur les ongles blancs, mais beaucoup de chiens ont les ongles foncés. En cas de doute, confiez cette tâche à un toiletteur ou à un assistant vétérinaire.

En cas de diarrhée

Les chiens goûtent à tout et cette manie provoque parfois des diarrhées. Quand ils sont dus à l'absorption de matières en décomposition, ces épisodes ne durent pas plus de trois jours. Si votre chien a une simple diarrhée, sans autre symptôme tel que des vomissements, faites-lui sauter un repas, laissez-le se reposer et donnez-lui à boire. En général, mieux vaut donner au chien un antidiarrhéique (Bacteol, Intestidog…). Réalimentez-le avec sa nourriture habituelle, mais en petites quantités, ou donnez-lui une pâtée très digeste (poulet bouilli et riz par exemple). S'il présente d'autres symptômes, par exemple du sang dans les selles, des vomissements, une apathie ou une douleur, contactez votre vétérinaire.

Les petites urgences

Vous serez peut-être amené à administrer les premiers soins à votre chien avant de l'emmener chez le vétérinaire. La meilleure approche reste la prévention. Mettez tout ce qui peut être dangereux hors de sa portée, surtout si vous avez du monde plein la maison et que vous n'avez pas l'œil rivé sur lui. Les blessures qui exigent des soins immédiats se situent le plus souvent au niveau des pattes, des oreilles ou du bout de la queue.

LE CONSEIL DU VÉTÉRINAIRE

- Attention : un chien qui souffre et qui a peur peut mordre.
- Si votre chien a été mordu par un serpent, n'aspirez pas le venin et ne faites pas de garrot. Appliquez de la glace et emmenez-le immédiatement chez le vétérinaire.

FÊTES À RISQUES

- Mettez les plantes toxiques (houx, gui, poinsettia, amaryllis, jacinthes…) hors de sa portée.
- Faites-le sortir de la cuisine : les sources d'accident sont trop nombreuses.
- Jetez les emballages des cadeaux, surtout les rubans et les petits sachets de gel de silice.
- Faites attention qu'il ne soit pas effrayé par un feu d'artifice ou des pétards.
- Évitez les friandises inhabituelles : les aliments nouveaux peuvent provoquer une diarrhée.
- Un petit morceau de dinde de Noël ne peut pas lui faire de mal, mais ne lui donnez surtout pas la carcasse. Les os coupants peuvent lui perforer les intestins. Peuvent également être dangereux :
  – le chocolat noir (pas plus de 65 g pour un chien de 10 kg) ;
  – le raisin (pas plus de 100 g pour un chien de 10 kg) ;
  – les raisins secs (pas plus de 100 g pour un chien de 10 kg) ;
  – les noyaux de pêche ou de nectarine ;
  – les fruits à coque non cassés.

En cas de blessure à la patte, appuyez fermement pendant au moins deux minutes, faites un pansement et protégez avec une bande.

Nettoyer une petite plaie

La blessure que l'on observe le plus souvent au niveau des pieds touche les coussinets entaillés par du verre, du métal ou de la glace coupante. Dans le dernier cas, la plaie est généralement propre, mais dans les autres, une contamination par les débris restés dans la plaie est possible. Méfiez-vous des morsures de chiens car les dents introduisent toujours des bactéries dans la chair. Ces blessures sont beaucoup plus difficiles à nettoyer.

1. Mettez-lui sa laisse et ordonnez-lui de s'asseoir ou de se mettre debout.

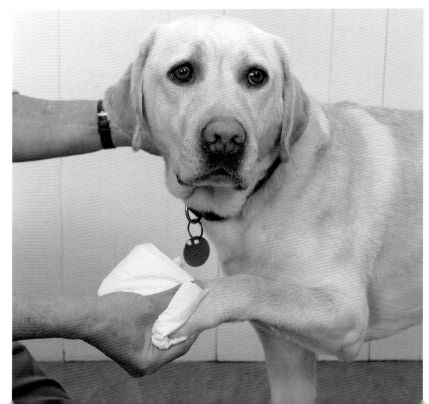

2. S'il s'est blessé avec du verre, du métal ou de la glace, lavez-lui la patte dans de l'eau tiède propre. Utilisez éventuellement un bidon de 500 ml avec un bouchon sport pour faire gicler l'eau dans la blessure.

3. Appliquez un désinfectant ou un antiseptique. Les désinfectants en vaporisateurs destinés aux humains sont parfaits.

4. S'il s'est fait mordre profondément, essayez de faire pénétrer le désinfectant dans la plaie pour tuer les microbes. Ce genre de plaie doit en principe être examiné par un vétérinaire.

5. N'utilisez pas de produit gras (vaseline ou autre) pour arrêter un saignement ou empêcher un bandage de coller à la peau. Limitez-vous aux lubrifiants solubles dans l'eau, qui s'éliminent facilement.

LA TROUSSE DE SECOURS

- Ciseaux à bouts ronds
- Crochet à tiques
- Pinces étroites : ôte les objets coincés dans la bouche
- Thermomètre rectal à affichage numérique et lubrifiant soluble dans l'eau
- Compresses non adhésives
- Coton hydrophile
- Bande de gaze de 5 cm de large
- Bande adhésive (type Élastoplaste)
- Antiseptique (crème, lotion ou spray)
- Charbon actif : absorbe une substance toxique avalée
- Eau oxygénée (3 %) : fait vomir le chien
- Comprimés antihistaminiques (piqûres d'insectes ou d'orties et allergies)
- Numéro de votre vétérinaire ou des urgences vétérinaires

Arrêter un saignement

Si le chien se met à saigner, on a très vite l'impression d'assister à une scène de film d'horreur.

1. Mettez-lui une laisse et ordonnez-lui de s'asseoir ou de se mettre debout. Prenez du papier ou un chiffon propre absorbant et appuyez quelques minutes sur l'endroit qui saigne.

2. Si vous l'emmenez chez le vétérinaire, maintenez une pression douce sur la blessure et immobilisez la partie du corps atteinte. S'il est blessé à l'oreille ou à la queue, plaquez-les contre son corps. S'il est blessé à la patte, enfilez-lui une chaussette par-dessus le bandage qui retient votre pansement de fortune.

3. S'il ne saigne pas beaucoup, aspergez la blessure d'antiseptique. Mettez une compresse sur la blessure et enveloppez-la de papier ou d'un tissu absorbant puis d'un bandage adhésif.

4. Ne le comprimez pas trop pour ne pas bloquer la circulation sanguine et risquer de faire plus de dégâts que la blessure elle-même.

5. Demandez à quelqu'un de le tenir pendant le trajet jusque chez le vétérinaire pour éviter les mouvements.

Muselière de fortune

Un chien blessé doit toujours être muselé par précaution, car la douleur ou la peur peuvent le pousser à mordre. N'importe quel morceau de tissu assez long (cravate par exemple) peut servir à confectionner une muselière de fortune. Parlez-lui calmement et ne le regardez pas droit dans les yeux. Même s'il est plus facile de le museler par-derrière, approchez votre muselière par devant et enfilez-la autour de son museau sans geste brusque.

1 Faites un nœud autour de son museau avec le tissu ou la corde et serrez tout doucement. La boucle doit être sur le dessus.

2 Croisez les deux pans sous la gueule et ramenez-les vers l'arrière. Attachez-les derrière les oreilles, au niveau du cou.

Les urgences graves

LE CONSEIL DU VÉTÉRINAIRE

Enregistrez tous les numéros de téléphone de votre vétérinaire sur votre téléphone portable. Laissez-les également à proximité du téléphone fixe et notez-les dans sa trousse de secours. Si votre chien a besoin d'être vu en urgence par un vétérinaire, appelez-le pour le prévenir de votre arrivée. Il pourra ainsi commencer à préparer le matériel nécessaire.

Les accidents les plus fréquents chez les jeunes chiots sont les fils électriques mordillés. Limitez les risques dans la maison comme au jardin. Si votre chien mord un fil branché, coupez le courant et retirez le fil de sa gueule avec un morceau de bois avant de pratiquer un massage cardiaque et la respiration artificielle. Face à une urgence, ne vous laissez pas impressionner par une blessure ; assurez-vous d'abord que votre chien n'est pas en état de choc, donc en danger de mort.

L'état de choc

C'est un état dans lequel le sang ne circule plus normalement dans le corps. Le danger de mort n'est pas forcément perceptible, mais il est réel. Par conséquent, l'état de choc doit être traité avant les blessures. Guettez-en les signes avant-coureurs suivants :

- Respiration et pouls rapide ;
- Nervosité ou agitation ;
- Apathie ou faiblesse ;
- Gencives pâles ;
- Température rectale au-dessous de la normale ;
- Le sang met plus de deux secondes à affluer à nouveau après une pression du doigt sur les gencives.

Les signes critiques en cas d'état de choc avancé sont :

- Respiration courte et irrégulière, pouls rapide et irrégulier ;
- Faiblesse extrême évoluant vers la perte de conscience ;
- Hypothermie ;
- Gencives très pâles ou bleues ;
- Le sang met plus de quatre secondes à affluer à nouveau après une pression du doigt sur les gencives.

Comment réagir

- Ne laissez pas votre chien déambuler.
- Ne lui donnez ni à boire ni à manger.
- Maintenez-le au chaud pour éviter que sa température continue à baisser et stoppez tout saignement.
- Pratiquez si nécessaire la respiration artificielle ou un massage cardiaque.
- Installez-le avec les pattes arrière surélevées pour faciliter la circulation du sang jusqu'au cerveau.
- Maintenez son cou en extension et transportez-le chez le vétérinaire.

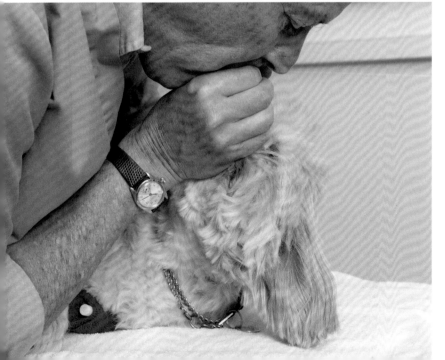

On pratique le bouche-à-nez en insufflant de l'air dans les narines du chien. La poitrine se gonfle immédiatement.

Prenez son pouls en appuyant sur l'artère fémorale, à l'intérieur de la cuisse.

Prenez son pouls

Le pouls d'un grand chien est de 50 pulsations par minute. Celui d'un petit chien est normalement trois fois plus élevé. Celui d'un chiot est plus rapide que celui d'un adulte de la même taille. Prenez le pouls de votre chien en plaçant le pouce et l'index sur l'artère fémorale, à l'intérieur de la cuisse. Si votre chien est maigre, placez votre main sur son cœur, juste au-dessus du coude gauche. Chez les petits chiens, on peut prendre le pouls en saisissant la poitrine avec le pouce et l'index de part et d'autre du corps, juste derrière les coudes, et en appuyant légèrement jusqu'à ce qu'on sente les pulsations. Si le chien est gras, elles sont difficiles à sentir.

La respiration artificielle

Pratiquez-la uniquement si votre chien ne respire plus. L'état de choc peut avoir diverses origines : étouffement, noyade, inhalation de fumée, électrocution, commotion, empoisonnement, coma diabétique ou hémorragie.
1. Allongez le chien sur le côté, cou tendu. S'il a quelque chose dans le nez et la bouche, retirez-le et étirez bien sa langue.
2. Fermez-lui la gueule. Mettez votre bouche sur son nez et sa bouche, ou utilisez votre main comme un cornet autour de sa bouche. Soufflez. Vous allez voir la poitrine de votre chien se soulever.

3. Retirez votre bouche et laissez ses poumons se vider.
4. Recommencez 1 à 20 fois par minute jusqu'à ce que le chien respire de lui-même.
5. Prenez son pouls toutes les quinze secondes pour vérifier que son cœur bat toujours. Sinon, pratiquez un massage cardiaque.

Le massage cardiaque

Un massage cardiaque ne se pratique jamais seul. Il est toujours associé à la respiration artificielle. Le recours au massage cardiaque ne se justifie que lorsque le cœur a cessé de battre. Les pupilles se dilatent et le sang n'afflue plus aux gencives quand on relâche la pression du doigt.
1. Couchez votre chien sur le côté droit, la tête plus basse que le reste du corps.
2. Si le chien est grand, mettez la paume de l'une de vos mains sur sa poitrine, juste derrière le coude, et la paume de l'autre par-dessus. Comprimez la poitrine au rythme de 100 pressions à la minute. Si le chien est petit, attrapez la poitrine derrière les coudes avec le pouce et l'index, et appuyez en direction du cou pour comprimer la cage thoracique (120 pressions à la minute).
3. Toutes les quinze secondes, arrêtez le massage cardiaque et insufflez-lui deux fois de l'air (voir respiration artificielle ci-avant).
4. Continuez le massage cardiaque jusqu'à ce que vous perceviez des battements. Reprenez alors la respiration artificielle seule jusqu'à ce qu'il recommence à respirer spontanément.
5. Transportez-le le plus vite possible chez un vétérinaire.

Même un chien très gentil peut mordre s'il a mal. Soyez prudent.

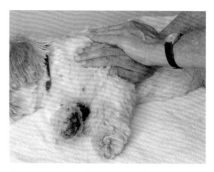

Pour un massage cardiaque, appuyez fermement avec la paume des mains.

Transporter un chien malade

L'idéal est de le sangler sur quelque chose de dur. Dans la réalité, il faut se débrouiller avec une couverture. Déposez-le délicatement dessus, enveloppez-le et soulevez la couverture pour le porter jusqu'à votre voiture. L'objectif est d'exercer le moins de pression possible sur le corps.

La prévention

Prévenir les problèmes de santé revient moins cher
que de les traiter. C'est aussi plus sûr et moins douloureux.
Les rappels de vaccins ne doivent pas être oubliés.
La prévention, ce sont aussi les précautions en matière
de reproduction et, plus tard, la surveillance active de la santé
du chien pour ne pas avoir à vous décharger dans l'urgence
sur le vétérinaire de problèmes que vous pouvez anticiper.

QUESTIONS-RÉPONSES

Quel protocole vaccinal dois-je suivre ?

Le protocole de vaccination dépend du
type de vaccin utilisé et de la situation
épidémiologique de la région ou du pays
où vous habitez ou de l'endroit où vous
allez séjourner. Votre vétérinaire vous
indiquera celui le plus adapté à votre
chien. Le plus souvent, la primovaccination
peut être réalisée dès l'âge de 7 semaines.

Inspectez-le partout

Dès qu'il arrive chez vous, examinez votre
chien et traitez-le contre les parasites
externes et internes. Le risque est
variable suivant la saison et la région
où le chien vit.

Les parasites internes

Les chiots sont souvent infestés
d'ascaris (vers ronds),
transmis par leur
mère. Les ankylostomes (vers à crochet)
et les trichures (vers à fouet), plus
dangereux, sont moins courants.
Les ténias (vers plats) pénètrent dans

*La puce est un parasite
résistant qui provoque
des maladies de peau.*

l'organisme par le biais des puces
ou de la viande crue (notamment
de mouton). *Dirofilaria immitis*
(ver du cœur) est transmis par les piqûres
de moustiques. *Leishmania* est un parasite
protozoaire transmis par les phlébotomes
(moucherons). *Babesia* et *Ehrlichia*
sont transmis par les tiques, qui
véhiculent également la bactérie
à l'origine de la maladie de Lyme.
Giardia est un parasite monocellulaire
microscopique, de plus en plus souvent
à l'origine de diarrhées. La meilleure
prévention contre les vers
est la vermifugation systématique.

Les parasites externes

Certains parasites externes,
comme *Demodex* et *Cheyletiella* (porteurs
de la gale), sont transmis par la mère
juste après la naissance ; d'autres,
comme les poux, se transmettent par
contact direct entre chiens. *Sarcoptes
scabiei*, autre agent de la gale, se transmet
par contact direct (comme les puces,
les tiques et les aoûtats) et par le biais
d'un environnement contaminé.
La prévention contre les puces et les
tiques est importante ; en effet la salive
des puces est souvent à l'origine

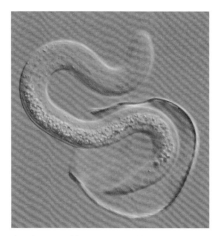

Ascaris, ver rond fréquent chez le chiot, en train d'éclore.

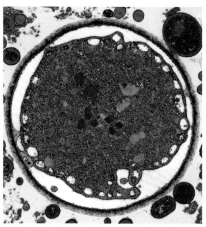

Logés dans les intestins, les kystes de Gardia, *provoquent des diarrhées.*

Cette tique vient de prendre son repas : son abdomen est gorgé de sang.

d'allergies cutanées, et les tiques peuvent véhiculer des maladies infectieuses mortelles. Adoptez toutes les mesures préventives préconisées par votre vétérinaire en fonction de l'endroit où vous habitez et de votre lieu de séjour si vous voyagez. Les produits appliqués sur la peau sont souvent efficaces mais un spray ou un collier peut être nécessaire pour renforcer leur efficacité.

Les maladies infectieuses

Tous les chiens doivent être vaccinés pour être protégés contre les maladies infectieuses qui sévissent à l'endroit où ils habitent ou dans les régions qu'ils vont visiter. Dans ce domaine, l'homéopathie ne sert à rien.
Il est conseillé de faire vacciner son chien contre la maladie de Carré, l'hépatite de Rubarth et la parvovirose. Suivant les zones géographiques, on y ajoute les vaccins contre la rage et la leptospirose. D'autres vaccins, comme celui contre la toux de chenil, la borréliose de Lyme, la piroplasmose et la leishmaniose peuvent être effectués selon la situation épidémiologique.

Le planning familial

Les femelles stérilisées avant l'âge d'un an vivent dix-huit mois de plus que celles qui ne l'ont jamais été. C'est une raison suffisante pour faire stériliser votre chienne si vous n'avez pas l'intention de lui faire faire des petits. Actuellement, il n'existe aucune alternative sérieuse à la chirurgie.
La durée de vie des mâles castrés et de ceux qui ne le sont pas est identique. Néanmoins, le profil type du chien abandonné est le mâle jeune et non castré, habitué aux escapades amoureuses. Un chien castré est souvent plus obéissant et plus facile à vivre.
Les chiots peuvent être stérilisés assez jeunes, mais ils le sont plus généralement une fois qu'ils ont atteint leur maturité physique. Ne craignez rien : leur personnalité reste intacte. Au niveau de l'aspect extérieur, il se peut que le poil épaississe légèrement et qu'il ait tendance à prendre du poids si vous lui donnez trop à manger.

Les bilans

Un bilan systématique par an suffit dans la plupart des cas. Chez les chiens plus âgés, on en profite pour faire une prise de sang afin de vérifier le bon fonctionnement de l'organisme. Votre vétérinaire établira la fréquence des examens en fonction des risques inhérents à la race de votre chien.

ÊTES-VOUS UN BON MAÎTRE ?

- Montrez-vous des photos de votre chien à vos amis ?
- Avez-vous une photo de lui en fond d'écran ?
- Avez-vous sa photo sur votre téléphone portable ?
- Fêtez-vous son anniversaire d'une façon ou d'une autre ?
- Annuleriez-vous des vacances s'il n'allait pas bien ?
- Quand vous êtes absent, prenez-vous de ses nouvelles ?
- Le trouvez-vous beau ?
- Prenez-vous plaisir à le regarder se comporter en chien ?

Si vous répondez par l'affirmative c'est que vous êtes également soucieux de préserver sa santé.

Index

Sites Internet

RACES

Chiens AZ
Pour en savoir plus
sur le comportement du chien
et ses pathologies, selon les races.
www.chiensaz.com

La Fédération cynologique internationale
La Fédération cynologique
internationale est composée
de 84 pays membres et partenaires
sous contrat (un membre par pays)
qui émettent chacun leurs pedigrees
et forment leurs juges.
www.fci.be

PROTECTION ET ADOPTION

Société protectrice des animaux SPA
La SPA, fondée en 1845 par Étienne
Paroiset, à l'origine pour protéger
les chevaux, a ouvert son premier
refuge en 1903 à Gennevilliers, dans
les Hauts-de-Seine. Elle en possède
aujourd'hui 55 dans toute la France,
qui recueillent 45 000 animaux.
www.spa.asso.fr

La fondation 30 millions d'amis
La fondation 30 millions d'amis
est née en 1995, à l'initiative
de Jean-Pierre Hutin qui avait lancé,
vingt ans plus tôt, la première
émission télévisée consacrée
aux animaux de compagnie.
www.30millionsdamis.fr

CHIEN ET SOCIÉTÉ

Société centrale canine (SCC)
Fondée en 1882, la SCC a pour
objectif la promotion des races de
chiens en France. Elle assure la tenue
du Livre des origines français (LOF).
Le site Internet propose aussi
des adresses de centres de dressage.
www.scc.asso.fr

Fédération européenne des comportementalistes
Elle réunit et fédère les organismes,
sociétés, associations ou groupes
d'étude qui s'intéressent
de manière scientifique
aux échanges entre l'homme
et l'animal familier.
www. comportementalite-
associationcad.org

RENSEIGNEMENTS GÉNÉRAUX

Santé Vet
Assurez la santé de votre compagnon
et puisez dans les nombreux
conseils pour prendre soin
de votre chien.
www.santevet.com

Frenh Toutou
Tout savoir sur l'actualité canine et
être renseigné dans divers domaines
par des spécialistes du chien.
www.frenchtoutou.com

ÉCOLES VÉTÉRINAIRES

Outre leur vocation de formation
des futurs vétérinaires, elles assurent
le suivi médical de votre compagnon
à moindre frais.

École nationale vétérinaire d'Alfort (ENVA), Paris
www.vet-alfort.fr

École nationale vétérinaire de Nantes
www.vet-nantes.fr

École nationale vétérinaire de Lyon
www.vet-lyon.fr

École nationale vétérinaire de Toulouse
www.envt.fr

Remerciements

De la part de Bruce Fogle

Dans la mesure où j'exerce en tant que praticien, je n'ai aucun mal à trouver des chiens et des maîtres qui acceptent de se faire photographier pour un livre. Et je dois avouer que c'est amusant de retrouver des chiens que je connais bien – je pourrais presque dire intimement – quand je feuillette l'ouvrage terminé. Je remercie tous mes clients qui ont accepté que leurs chiens soient photographiés, y compris ceux qui allaient être anesthésiés ou subir une intervention bénigne.

Je remercie également Hearing Dogs for Deaf People (www.hearingdogs.org.uk). Cette association caritative accueille de jeunes chiens particulièrement intelligents qu'elle éduque pour servir d'oreille aux malentendants gravement atteints. Hearing Dogs nous a non seulement fourni les chiens pour les photographies des séances de dressage, mais a aussi mis à notre disposition ses installations et son personnel remarquable. Beaucoup ont pris sur leur temps libre (ils dressent et placent plus de cent cinquante chiens par an) pour nous aider à réaliser ces clichés. Merci à tous les gens d'Hearing Dogs – direction et personnel.

En matière de dressage, Patricia Holden White et moi sommes sur la même longueur d'ondes. C'est la raison pour laquelle j'adresse mes clients à son club d'éducation canine depuis plus de trente ans. Il paraît que les éducateurs ont pris tellement de plaisir aux séances photos avec Pat, Juliette Norsworthy et le photographe Adrian Pope qu'ils étaient tristes de voir l'aventure se terminer.

Comme toujours, les gens avec qui je passe mes journées à la Portman Veterinary Clinic ont donné de leur temps. Merci à Suzi Gray, Ashley Mc Manus, Angela Bettinson, Lettie Lean, Hester Small, Grant Petrie et Veronica Askmanovic pour leur aide précieuse.

De la part de Patricia Holden White

Ce livre me tient à cœur car il met en avant l'approche positive du maître dans sa relation avec son chien, ce qui est la base d'une bonne entente et du bonheur de chacun. En aidant les gens à éduquer leur chien et en travaillant avec les chiens qui souffrent de troubles comportementaux, j'ai pris conscience de la responsabilité de l'homme. Il est donc important de regarder les deux bouts de la laisse pour résoudre ce qui me semblait être au départ uniquement un problème de chien.

La plupart de mes patients sont des chiens abandonnés. Ils m'ont énormément appris. Roy Hunter, formidable éducateur, a dit un jour : « Les seuls spécialistes des chiens sont les chiens eux-mêmes. » Nous ne sommes que des observateurs. L'observation et la communication sont indissociables lorsque l'on veut comprendre le lien qui unit l'homme au chien. Ce fut un privilège de poursuivre cette exploration avec Bruce Fogle.

Merci beaucoup à tous ceux qui ont fait de la création de cet ouvrage un véritable plaisir. Merci aussi aux membres du Hammersmith Dog Training Club pour leur participation aux séances photos. L'équipe éditoriale et notre photographe Adrian Pope ont été animés de la même volonté de créer un ouvrage qui guidera les nouveaux maîtres dans le parcours à la fois difficile et gratifiant que constitue l'accueil d'un chien dans une famille.

L'éditeur tient à remercier tous les gens – et les chiens – de chez Hearing Dogs for Deaf People pour leur aide et leur enthousiasme au cours des séances photos. Un grand merci tout particulier à Jenny Moir et Carrie Highmore.

Merci à toutes les personnes qui ont bien voulu poser devant notre objectif : Chris Allen ; Becky Atkinson ; Lorna Bacchus ; Evie Clark ; Jeremy Day ; Fredie, Joshua et Suzi Eglese ; Lubca Gangarova ; Mike Garner ; Suzi Gray ; Tom Green ; Lesley Hastings ; Carrie Highmore ; Sarah Luxford ; Chloe Morris ; Theo and Molly Oakley ; Nicole O'Donnell ; Ingrid Ramon ; Emma Richards ; Karen Rigg ; Darren Sparrow ; Nancy Stranger.

Merci à tous les chiens : Bea, Cara, Cedar, Chelsea, Denver, Elkie, Etna, Fizz, Lacey, Maisy, Milly, Minty, Mocha, Monty, Olly, Poppy, Ramsey, Rodney, Sidney, Stig, Terry, Truffle et Umber.

Crédits photographiques

L'éditeur tient à citer et à remercier les personnes et sociétés qui ont fourni les photographies utilisées dans cet ouvrage :

(h : haut ; b : bas ; c : centre ; g : gauche ; d : droite)

12h Moredon Health Ltd/Science Photo Library ; 12b Eric Isselée/Shutterstock ; 13 Jack Fields/Corbis ; 14h Marc Pagani Photography/Shutterstock ; 17h Jane Burton/Warren Photographic ; 19 DLILLC/Corbis ; 20 Jane Burton/Warren Photographic ; 21 Doreen Baum/Picani/Shutterstock ; 22,23,24 Jane Burton/Warren Photographic ; 25h Octopus Publishing Group ; 25 b Eric Isselée/Shutterstock ; 26h Lisa A Svara/Shutterstock ; 26b Pieter/Shutterstock ; 27 Jane Burton/Warren Photographic ; 28h Octopus Publishing Group ; 28b, 29h & b Jane Burton/Warren Photographic ; 30g Waldemar Dabrowski/Shutterstock ; 30d Octopus Publishing Group ; 31 DK Limited/Corbis ; 32h & b, 33h Jane Burton/Warren Photographic ; 33b Eric Isselée/Shutterstock ; 34 Joy Fera/Shutterstock ; 35 Eric isselée/Shutterstock ; 36g & d Jane Burton/Warren Photographic ; 37h Don Mason/Corbis ; 37b Jean-Micel Labat/Ardea.com ; 38h Jane Burton/Warren Photographic ; 38 b John Madere/Corbis ; 39g Waldemar Dabrowski/Shutterstock ; 39d Wegner/Arco/Naturepl.com ; 40h Dale C Spartas/Corbis ; 40b Lew Robertson/Corbis ; 41h & b, 42h Jane Burton/Warren Photographic ; 42b pixshots/Shutterstock ; 43g Rick's Photography/Shutterstock ; 43d 44g & d Octopus Publishing Group ; 45 Eric Isselée/Shutterstock ; 46, 47g Octopus Publishing Group ; 45 Eric Isselée/Shutterstock ; 46, 47g Octopus Publishing Group ; 47d, 48 Jane Burton/Warren Photographic ; 49h Eric Isselée/Shutterstock ; 49b John Daniels/Ardea.com ; 50g Octopus Publishing Group ; 50d Eric Isselée/Shutterstock ; 51h & b Jane Burton/Warren Photographic ; 52 Johan de Meester/Ardea.com ; 53 Tracy Morgan/Dorling Kinderseley ; 54g & d 55, 56d Jane Burton/Warren Photographic ; 56g Shutterstock ; 57 John Daniels/Ardea.com ; 58, 59, 60g & d, 61d Jane Burton/Warren Photographic, 61g Rick's Photography/Shutterstock ; 62 Ioannis Lalakis/Photographers Direct ; 63 Jane Burton/Warren Photographic ; 68 Shinya Sasaki/Neo Vision/Getty Images ; 70 John Daniels/Ardea.com ; 76 Roger Tidman/FLPA ; 89h Arco Images/Alamy ; 96b Yann Arthus-Bertrand/Ardea.com ; 111d lemonlight features/Alamy ; 113h Maksym Gorpenyuk/Shutterstock ; 164 mediacolor's/Alamy ; 176h Christie & Cole/Corbis ; 186 Mike Buxton/Papilio/Corbis ; 187g Clouds Hill Imaging Ltd/Corbis ; 187c Visulas Unlimited/Corbis ; 187d Science Photo Library.